백범의 길

백범의 길

조국의 산하를 걷다

집필 / 김상기 신복룡 도진순 한규무 김용달

기획 / (사)백범김구선생기념사업협회

강원·충청·전라·경상 편

arte

김구의 숨결,
얼과 혼을 찾아가는 먼 길

멀고도 험난한 노정이었다. 길도, 안내인도, 등불도 없었다. 김구는 스스로 길을 내고 등불을 밝히며 고단한 발걸음을 내디뎠다. "우리나라 대한의 완전한 자주독립"을 소원하며 보이지도 않는 저 아득한 곳을 향해 걷고 또 걸었다. 조국의 산하와 중국 대륙 곳곳에 피땀으로 얼룩진 얼과 혼을 새겼다.

우리는 그 길을 되밟기로 했다. 발자취를 더듬고 흔적을 헤아리며 김구의 숨결과 체온을 느끼려 했다. "흙 속에 저 바람 속에" 숨어 있고 깃들어 있을 작은 무엇이라도 찾아내려 애를 썼다. "진실은 현장에 있다"는 신념으로 김구가 걸어간 길 위에서 당시의 시대상과 그의 행동 그리고 사상을 되짚어 보려 했다. 면밀한 취재로 잘못 알려진 사실이 있으면 바로잡으려 노력했다. 『백범일지』를 모태로 한 다양한 연구서와 교양서가 나와 있지만, 김구의 발자취를 따라가며 행적을 더듬은 역사 탐방기는 이 책이 처음이다. 연보도 자세하게 기록했다. 독서계는 물론 학계에도 자극을 주지 않을까 싶다.

김구는 행동하는 이상주의자, 꿈꾸는 리얼리스트였다. 그에게는 누구보다도 많은 신발이 필요했다. 그 신발들은 빨리 닳고 해어졌다. 그의 삶은 유랑과 방랑, 도피와 은신의 연속이었다. 동가식서가숙東家食西家宿이 그의 숙명이었다. 하여 신발은 종종 흙투성이였고, 옷자락은 밤이슬에 젖어 있기 일쑤였다.

김구가 세우고 남긴 이정표 里程標를 좇아가는 이 작업엔 역사학계와 정치학계의 전문 연구자 여덟 분이 참여했다. 저마다 권역을 나누고 사진도 직접 찍었다. '따로 또 같이'라는 쉽지 않은 작업이었다. 8인 8색의 개성을 갖추었음에도 공들여 쓴 글을 덜어 내고 몇 번이나 문장을 손봐 가며 호흡을 맞춰 준 필자들에게 마음으로부터 감사를 드린다.

이번 국내 편에 이어 김구 서거 70주기 및 대한민국임시정부 수립 100주년인 2019년에는 한국과 중국 학자들의 합작으로 답사기 2탄 중국 편을 낼 계획이다. 남북 관계가 개선되면 선생이 태어나고 자랐으며 망명 전까지 머물면서 일제에 항거했던, 또 환국 이후 통일을 열망하며 삼팔선을 넘었던 북녘 땅 답사기를 3탄으로 내며 이 작업을 완결 지을 날이 꼭 오리라고 믿는다.

쉽고 읽기 편한 인문학 에세이를 지향한 이 책이 어느 여행길, 누군가의 손에 들려지기를 기대한다. 김구의 생애와 사상을 세상에 널리 알리며 독자에게 오래도록 사랑받는 책이 되기를 소망한다.

백범김구선생기념사업협회 회장
김형오

당신은
그곳에 가 보았는가?

공자께서 말씀하시기를, "사람이 태어나면서부터 진리를 아는 것生而知之
이 가장 으뜸이다"라고 하셨지만 그것은 성인의 경지에서 있을 수 있는 일이
요, 우리 같은 필부들이야 배워서 알 뿐學而知之이다. 그렇다면 우리는 무엇으
로부터 인생을 배우나? 부모와 친구를 통해, 혹은 학교와 사회에서 여러 경
로를 통해 인생을 배우게 되지만 한창 감수성이 예민할 때 읽은 어느 위인의
행적이나 말씀은 젊은이의 일생을 지배한다. 설령 책을 읽은 대목은 기억에
서 사라질지라도 그때 읽은 감동은 그의 무의식 속에 살아 작용한다.

그 많은 독서 가운데에서도 역사와 전기는 더욱 그렇다. 도대체 역사란 무
엇일까? 역사란 결국 사람이 살다 간 모습이다. 따라서 인간의 행적을 더듬
어 보고 그를 통하여 오늘을 살아가는 교훈을 찾는 것이 곧 역사학이다. 이러
한 역사학 가운데 한 분과인 전기는 인간의 삶을 비춰 주는 가장 훌륭한 거
울로서, 많은 후세인의 삶에 영향을 끼쳐 왔다. 민족과 국가의 구원자로서 영
웅신화는 역사학보다 더 오래되었으며, 신화는 격동기를 맞이할 때마다 그
모습을 바꾸어 우리에게 투영되었다. 그 많은 역사와 전기, 영웅 신화 들을
통해 국가에 대한 사랑과 절의, 장렬한 죽음, 빼어난 재주, 가혹한 운명, 적과
동지의 만남과 헤어짐, 그리고 어떻게 사는 것이 역사의 칭송을 받는가를 보
고 배운 젊은이들은 알게 모르게 그런 삶을 향하여 가기 마련이다.

『백범의 길』은 김구라는 한 인생의 역정을 더듬어 감으로써 사람 냄새 나는 그의 모습을 젊은이들에게 보여 주고자 마련된 전기이자 답사기이다. 또한 김구가 남긴 발자취를 따라 전국 각지를 필자들이 몸소 찾아보고 그에 얽힌 이야기들을 모아 그의 인생을 다시 구성해 보고자 했다. 따라서 학술적인 논쟁이나 경직된 사상이나 철학보다는 인문학적 에세이의 형식을 빌려 글을 전개해 나가고자 했다.

젊은이들에게 '한국사에서 누구를 가장 존경하는가?'라는 질문을 던지면 충무공 이순신이나 세종이 앞뒤를 다투고 세 번째는 변함없이 김구가 따른다. 이것이 한국 위인전의 서열로 굳어졌다. 김구는 왜 우리의 가슴에 그리 깊이 각인되었는가? 그것은 그의 삶과 투쟁이 훌륭한 바도 있지만 『백범일지』라고 하는 불후의 자서전 때문일 것이다. 그런데 자서전을 남긴 위인이 한둘이 아니요, 그 시대를 이끈 영웅이 김구뿐이 아닌데 왜 그토록 그의 자서전이 우리의 가슴을 울리는 것일까?

자서전은 역사의 현장에 있었던 사람의 실제 기록이라는 점에서 매우 중요한 1차 사료임에는 틀림이 없다. 그러나 인간은 누구에게나 자기를 드러내 보이고 싶은 의욕이 있고, 자신의 기록을 후세에 남기려고 붓을 들었을 때 자신의 문제에 관하여 알게 모르게 과장하거나 자기중심적일 수 있다. 뿐만 아니라 자서전은 일기가 아니라 오랜 세월이 흐른 뒤에 회상의 형식을 빌려 쓰는 것이기 때문에 일시, 장소, 인물, 사건의 전개에서 악의 없이 오류를 저지르는 경우가 흔히 있다.

아마도 김구의 『백범일지』가 백 년의 애독서가 된 것은 위와 같은 자서전의 함정에 빠지지 않은 진솔한 고백이기 때문일 것이다. 역신逆臣의 후손으로 황해도 산골에 숨어 살아야 했던 신분의 비극을 딛고 일어나, 한 나라의 수반이 되기까지의 역사를 그리면서 그는 담담했고, 겸손했으며, 정직했고, 교만하지 않았다. 그것이 쉬운 일이 아니었을 것이다. 그가 겪었던 신분적 아픔이나 인간의 속성俗性에 대한 꾸밈없는 표현과 정확한 사건 묘사는 독립운동사의 1차 사료가 되기에 손색이 없다.

만약 김구의 고백록이 격동의 시대를 살았던 한 민족지도자의 사료적 가치에만 머물렀더라면 그 책은 그리 우리의 가슴을 울리지 않았을 것이다. 김구의 『백범일지』는 사료라기보다는 철학서요, 경세서이며 고백 문학의 백미白眉이다. 철학적 고뇌를 토로하여 세상을 깨우친 고백록은 많지만 정치가의 고백록으로서 김구의 책만큼 깨우침과 자성을 주는 책은 그리 많지 않다. 우리 시대에 그 글을 읽고 가슴 울렁이지 않은 사람이 어디 있으랴?

세상이 어렵다 보니 영웅이 그리운 시절이 많았다. 역설적으로 영웅이 많

왔던 시절의 우리네 삶은 고단했다. 그 영웅과 위인들이 우리의 모든 고통을 풀어 준 것은 아니었지만 그들이 없었더라면 우리의 삶은 더 고통스러웠을 것이고 그 고통에서 해방되는 데 시간이 더 걸렸을 것이다. 그런 점에서 영웅의 출현은 고마우면서도 서글픈 일이다.

역사를 돌아보면, 영웅이 역사를 이끄는 것이 아니라 시대의 여망에 따라 영웅은 출현할 뿐이다. 역사에 영웅이 없었던 적도 없지만 그렇다고 해서 영웅이 넘쳐 나는 적도 없었다. 그러므로 영웅사관은 여기에서 멈추어야 한다. 때로 영웅이 그 시대 민초들에게 축복일 수 있지만 영웅은 시대의 산물일 뿐이다. 김구도 그 가운데 한 명일 것이다.

이제 영웅은 우리의 곁으로 내려와야 한다. 위대한 영웅의 행적이 우리 같은 필부로서는 따라갈 수도 없고 바라볼 수도 없는 것이라면 그것은 우상이거나 종교이지 영웅전이 아니다. 젊은이들에게 영웅들의 인간적인 모습을 들려줌으로써 그들의 꿈을 키워 주는 것이 영웅전의 가치이다. 사람들은 나와 닮지 않은 영웅에 대하여 친근감을 느끼지 않는다. 그래서 우리는 김구를 하늘에서 떨어진 사람처럼 그리려 하지 않았다.

이 책에 실린 글의 필자들은 마치 탐사하듯 그가 갔던 길을 걸어 보았다. 이는 곧 "당신은 그곳에 가 보았는가?"라는 헤로도토스Herodotus의 질문에 대답하고자 함이었다. 그는 자신이 가 보지 않은 곳을 거의 쓰지 않았다. 따라서 그의 『역사*The Histories*』는 기행문이자 지리학이다. 헤로도토스가 역사학의 성립에 끼친 공로는 신의 피조물로서의 사람이 아니라 사람 그 자체가 살아가는 모습을 직접 보고 그리고자 했다는 점이다. 그는 선학先學이 없는 역사학을 최초로 학문화함으로써 키케로Cicero로부터 '역사학의 아버지'라는 칭호를 들었다.

우리가 그토록 '장소'에 주목한 것은 역사가에게는 현장감이 중요하기 때문이다. 역사의 현장은 영감을 준다. 탐방객들 사이에 '아는 만큼 보인다'는 말이 유행하지만, 그보다는 '사랑하는 만큼 보인다'는 말이 맞다고 느끼기에, 우리는 김구를 사랑하는 사람들이 그의 발자취도 사랑하기를 바라는 마음에서 이 글을 썼다. 역사가든 탐방객이든, 아니면 어느 위인을 추종하는 사람이든 그들의 일차적 동기는 주제에 대한 애정이다. 그리고 그 애정의 근원은 "나도 거기에 가 보았어I Was There"라는 일체감일 것이다.

이 글을 쓰면서 우리 답사 팀은 가 본 곳과 가 보지 못한 곳이 있었고, 앞으로 더 가야 할 곳이 있다. 남한의 지역은 거의 모두 살펴보았다. 그가 성장기와 청년기에 돌아본 곳, 이를테면 동학에 관계된 지역과 청년 시절에 교회 활동을 했던 서울 근교의 지역과 투옥 생활을 했던 인천감옥과 서대문감옥도 살펴보았다. 그리고 환국과 더불어 시작된 정치적인 행보와 회상과 보은報恩의 여정도 따라가 보았다. 세월이 흘러 김구의 흔적은 희미해졌지만 체취는 여전히 남아 있었다. 그의 노을은 예상했던 대로 처연悽然했다. 그곳이 슬픈 곳이든, 기쁜 곳이든, 아니면 행복한 곳이든 고통스러운 곳이든 모두가 우리에게는 묵상하며 되돌아볼 곳들이었다.

　김구의 발자취를 따라 걷던 우리의 발길은 이제 여기에서 잠시 멈추어야 한다. 남은 곳은 김구가 독립투쟁기를 보낸 중국의 여러 곳이다. 우리는 다시 숨을 고르고 그가 바람결에 머리를 빗고 빗물에 몸을 씻으며櫛風沐雨, 식은 밥을 먹고 이슬 잠을 자며風餐露宿 조국의 광복을 위해 고뇌하던 대륙으로 떠날 것이다. 그 길은 더 멀고 험난할 터이지만 그만큼 더 보람 있고 감동적일 것이라는 희망 속에 우리는 피로를 떨칠 것이다.

신복룡

강원 · 충청 · 전라 · 경상 편

차례

김상기

충남대학교 국사학과 교수

예산초등학교
윤봉길 고택

공주 마곡사
중동국민학교
공산성
광복루

보은군 장안면 장내리
영규대사비
공종렬의 집

청양 모덕사

논산 강경
중앙국민학교

금산 칠백의총

목포

보은 장안 대도소

김구는 장안에 있는 동학의 대도소를 찾아가 최시형을 만났다. 대도소는 지금의 충북 보은군 장안면 장내리에 있었다. 장내帳內는 장 안이란 뜻이다. 장내리에 쟁기의 보습처럼 생긴 보습산이 있는데, 대도소는 보습산 아래에 있었다. 주민들은 보습산의 정상을 옥녀봉이라 부른다. 이 일대에서 동학교도들이 1893년 3월부터 보은취회를 한 것으로 알려진다. 과연 지금도 밭두둑에 돌로 쌓은 축대 같은 것이 보인다.

보은취회는 1893년(고종 30년) 3월부터 4월까지 동학교도들이 보은 장내리에서 '보국안민輔國安民'과 '척왜양창의斥倭洋倡義'를 기치로 내걸고 개최한 동학집회를 말한다. 이보다 먼저 1892년

11월 공주와 삼례에서 교조 최제우의 죄를 신원해 달라는 '교조 신원운동'이 일어났다. 전라도와 충청도 관찰사는 동학교도들의 요구에 '교조신원'의 건은 관찰사 자신들의 권한 밖이라고 하였다. 이에 따라 박광호 등 동학교도들은 1893년 2월 서울로 올라가 대궐 앞에서 상소를 올렸다. 이를 '복합상소'라고 한다. 이러한 일련의 투쟁에도 동학에 대한 지방 관아의 탄압이 계속되자 1893년 3월 최시형은 교조 최제우의 제삿날을 기하여 전국의 동학교도에게 장내리에 집결하도록 통문을 보냈던 것이다.

동학에 입도하다

먼저 김구가 동학에 입도한 배경을 보면 이렇다. 김구는 1876년 황해도 해주에서 80리 떨어진 백운방의 텃골이라는 산골에서 태어났다. 그는 당시 세도가였던 안동 김씨의 후손이었다. 그의 방계 할아버지인 김자점(金自點, 1588~1651)이 반란을 일으켜 사형을 당한 후 그의 선조는 멸문지화를 피하기 위해 해주로 숨어들어 신분을 숨기고 상놈 신분으로 살았다 한다.

김구는 집안 어른이 양반의 갓을 쓰고 나갔다가 이웃 마을 양반들한테 들켜 갓을 찢기고 혼났다는 소리를 들었다. 그로부터 어린 김구는 양반이 되어야겠다고 마음을 먹고 양반이 되려면 과거 시험에 합격해야 한다는 말을 듣고 부모를 졸라 서당에 나가 공부를 했다. 마침 해주에서 향시가 있다는 말을 듣고 응시했지만 과거 시험은 이미 세도가들의 잔치로 바뀐 뒤였다. 김구는 과거에 낙방한 뒤 자신의 신분에 대한 절망감을 안고 두문불출하며 병서를 읽으며 울분을 달래었다.

1893년 정초에 김구는 이웃 마을의 오응선이라는 동학 도인으로부터 동학의 교리를 들었다. 오응선은 김구에게 동학에는 빈부귀천이 없다고 하였다. 김구는 양반과 상놈의 구별이 없이 모든 이가 평등하다는 말에 동학에 입도하였다. 백미 한 말, 백지 세 묶음, 그리고 누런 초 한 쌍을 가지고 가서 입도식을 치렀다. 이름도 '창암'에서 '창수'로 바꾸었다. 얼마 되지 않아 김구의 휘하에 수백 명의 교도가 모여들었다. 그해 가을에 황해도에서 명망 있는 교도 15명을 선발했는데, 김구도 거기에 뽑혔다. 김구는 보은에 있는 대도주 최시형을 만나 접주 임명장을 받게 되었다.

장안의 대도소

1893년 가을, 김구는 일행과 함께 해주를 출발하여 보은의 장안이라는 동네에 도착하였다. 『백범일지』에 의하면, 동네의 이 집 저 집 구석구석에서 주문을 외우는 소리가 들렸으며, 동네 한쪽에서는 사람들이 떼 지어 나가고, 다른 한쪽에서는 떼 지어 들어와 집집마다 사람들로 가득 찼다 한다. 동학의 주문은 "한울님 기운이 이제 접하니 원하건대 기화氣化되게 해 주십시오至氣今至願爲大降"라는 8자의 강령주문과 "한울님을 모시니 마음이 정해지고 언제나 잊지 않으니 만사가 형통합니다侍天主造化定 永世不忘萬事知"라는 본주문 13자를 말한다.

장내리에는 집들이 옥녀봉 기슭에 줄지어 있었는데, 최시형은 옥녀봉 아래 큰 기와집에 대도소를 차리고 거주하였다. 1894년 10월 동학농민군을 진압한 도순무영의 우선봉이었던 이두황의 기록에 의하면, "동리가 즐비하고 새로 지은 큰 집이 주산 아래에 있는데, 최법헌이 거처하던 곳이라"한 것으로 보아 이를 알 수 있다.

동학교도들은 긴 장대에 깃발을 만들어 걸고, 자갈을 모아서 성을 만들었으며, 낮에는 개울가에 모였다가 밤이 되면 부근 마을에서 흩어져 잤다. 매일 각처에서 집결하여 모인 이가 적어도 2만 명 이상이었다 한다. 이들은 노래를 부르고 주문을 외웠으며, 관군의 공격에 대비하여 군사 조직을 만들었다.

정부에서는 동학교도들을 해산시키기 위해 보은에 관군을 주둔시키는 한편, 보은 출신인 어윤중을 순무사로 임명하여 수습하게 했다. 어윤중은 동학의 대표와 만나 집회를 연 이유에 대해 들었다. 그리고 이를 정부에 보고하겠다고 하면서 해산할 것을 요구하였다. 이와 함께 장위영 군대가 동학교도들을 해산시키기 위해 3월 30일 청주에 도착했다. 동학교단의 지도부가 관군과의 정면 충돌을 피하기 위해 해산을 결정하자, 동학교도들은 4월 초 장내리를 떠나기 시작했다. 다음 해 동학농민혁명이 일어나자 수천 명의 동학농민군이 이곳과 북실 일대에서 다시 집결하여 항전하였으나, 일본군과 관군에 의해 큰 희생을 치렀다. 지금 이 일대는 모두 농경지로 변했고, 대도소 자리 근처에서는 기와 파편이 발견된다. 보은에서는 매년 이곳에서 '보은취회추진 접주모임'등의 주관으로 보은취회 재현 행사를 개최하고 있다.

최시형을 만나다

김구가 보은에 도착한 것은 1893년 가을로, 장내리에서 이러한 보은취회가 있고 난 뒤였다. 김구 일행은 15명의 명단을 대도소에 통지하고, 얼마 지나 최시형의 처소에 들어갔다. 모두가 절을 하자 최시형도 역시 상체를 구부리고 손을 땅에 짚고 답례를 했다. 최시형은 "멀리서 수고시레 왔다"고 간단히 인사를 했다. 김구 일행은 '해월인海月印'이 찍힌 접주 첩지를 받아 하직하고 나왔다.

해월 최시형

김구는 접주 첩지를 받고 속리산을 구경하고 서울을 지나 해주로 돌아왔다. 다음 해 2월 전라도 고창의 무장에서 봉기한 것을 시작으로 동학농민혁명이 전국적으로 일어났다. 교주 최시형도 동학군의 동원령을 내렸으며, 이에 따라 해주 지역에서도 동학군이 봉기하였다. 김구는 해주의 백운방에 있는 팔봉산 아래에서 푸른 비단에 '팔봉도소'라 쓴 기를 세우고 군대를 편성하였다. 김구는 선봉이 되어 농민군을 이끌고 해주성을 공격하였다. 그러나 일본군과 관군, 거기에 유회군儒會軍의 공격에 패하고 구월산의 패엽사로 피했다가 장연에 은거하였다. 김구는 비록 일본군의 개입으로 해주성 점령에 실패한 패장이 되었으나, 조선왕조의 구조적인 부패상과 일본의 침략성을 인식하게 되었다.

탈옥 후 삼남 지방 피신길

인연이 이끄는 대로
발길 닿는 대로,

김구는 양반이 되고자 과거에 응시하였으나 낙방하고, 동학에 들어가 모든 이가 평등하게 사는 세상을 꿈꾸기도 하였다. 실패를 거듭하던 김구는 1896년 3월 치하포에서 국모의 원수를 갚고자 일본인 쓰치다土田讓亮를 살해한 일로 체포되어 사형 선고를 받기에 이르렀다. 그가 21살 때의 일이었다. 다행히 사형 집행이 보류되었으나 언제 죽을지 모르는 사형수 신세인 데다 자기가 감옥에서 죽으면 왜놈들만 좋아할 일이라 생각하고 1898년 3월 인천감옥에서 탈출하였다.

기지를 발휘하여 서울로 들어간 김구는 감방에서 함께 지낸 청지기 진 씨 등을 만난다. 청지기 진 씨 등 여러 명이 옥에 같이

백범의 길 _____ 김상기

있을 때에 김구에게 도움을 받은 듯하다. 김구가 감옥에서 소
장訴狀을 대신 작성해 주는 일을 했다는 것으로 미루어 보아 아
마도 그때 신세를 진 것이 아닌가 한다. 김구는 서울 시내에 오
래 있을 수는 없었다. 그들로부터 노자를 받아 길을 떠났으나
딱히 갈 곳이 없었다. 밤낮으로 술을 먹고 우울한 기분을 달래
면서 과천을 지나 수원에 이르렀으며, 수원에서 또 다른 감방
동료를 만나 노자를 얻어 다시 공주를 지나 강경을 향했다.

영규대사비를 보고 회한에 젖다

김구가 강경으로 향한 것은 강경에 있는 감옥 친구 공종렬을 만나
보고 싶었기 때문이었다. 김구는 강경에 가는 도중에 공주의 계룡을
지나가다가 영규대사비를 보고 300여 년 전 임진왜란 때의 일을 생각
하며 회한에 젖었다.

영규대사비는 공주에서 논산 가는 국도 1호변에 있는 계룡면사무
소 바로 앞에 있다. 이 비는 임진왜란 때 승병을 일으켰던 영규대사를
기리는 정려비이다. 영규대사는 공주의 계룡면 유평리 출신으로 갑사
甲寺에 출가하여 청련암에서 머물렀다. 서산대사에게 수학하고 임진왜
란 때 승병을 일으켜 조헌과 함께 청주성을 수복하였으며, 다시 금산
성전투에 참전한 의승이었다. 그가 금산성전투에서 부상을 입고 갑사
로 돌아가는 도중 부상이 악화되어 이곳 '불당리'에서 숨졌다. 선조 25

년(1592년) 8월 13일의 일이었다. 순조 13년 그의 업적을 기려 이곳에
정려문을 건립하고 비석을 세웠다. 지금은 충남 문화재 자료로 지정되
어 기와집 비각 속에 잘 보존되어 있다. 그러나 1995년 정려각을 중수
하기 전까지는 길옆에 그대로 방치되어 있었다. 비각 옆에서 철물점을
하는 주민에 따르면 자동차가 후진하다가 몇 차례 받아서 비석이 부
러지기까지 하였다 한다. 자세히 보니 금이 간 흔적이 뚜렷했다. 주민
의 증언에 따르면 영규대사가 금산성전투 후에 청주성전투에 참전하
기 위해 가다가 이곳에서 죽었다고 한다. 그러나 정려각 앞에 있는 '영
규대사비' 안내판에 의하면 "금산성전투에 참여하였다가 큰 부상을 입

충남 공주시 계룡면 월암리에 있는 영규대사비

고 갑사로 돌아오다가 이곳에서 숨을 거두었다"라고 쓰여 있음을 확인할 수 있다. 비각 바로 옆에 사는 주민도 비각 설명문과 다르게 지나가는 사람에게 전달하고 있음을 보고 기록의 중요함을 새삼 느낄 수 있었다.

갑사 승려들이 그곳에서 갑사 쪽으로 500미터쯤 가다가 오른쪽으로 들어간 마을 뒷산에 영규대사의 시신을 모셨다. 산길을 오르면 영규대사의 영정을 모신 영정각과 순의실적비가 있다. 그리고 그 위쪽에 왕릉처럼 우람한 봉분이 나온다. 승려의 묘로 봉분 형태를 취하고 있는 것은 유일한 것이 아닌가 한다. 갑사에도 영규대사를 모신 표충원이 있는데, 영규대사 외에 그의 스승 서산대사, 그리고 사명대사의 영정을 모셨다. 표충원은 1984년 충남 문화재 자료 52호로 지정되어 관리되고 있다. 경내에는 정인보가 쓴 '의승장영규대사기적비'가 세워져 있다.

강경 공종렬의 집

김구는 강경에 도착하여 감옥 친구 공종렬의 집을 찾아갔다. 마침 공종렬은 부친상 중이었다. 『백범일지』에 의하면, 공종렬은 운현궁의 청지기를 지냈으며, 당시는 충청감사를 지낸 조병식의 마름으로 있으면서 강경포에서 거간 노릇을 하는 물상객주를 하였다 한다. 그러던 중에 금전 관계로 살인 소송에 연루되어 인천감옥에서 여러 달 갇혀 있었는데, 이때 김구와 친하게 지냈다 한다. 강경은 내륙과 해안을 잇는 포구로 농산물은 물론 해산물이 집산하는 지역으로 객주들의 활약이 큰 곳이다. 그래서 강경은 김주영의 소설 『객주』의 주무대가 되었던 곳이기도 하다. 일제강점기에 일제는 강경의 이러한 지리적 이점을 활용하여 조선의 물자를 일본으로 수탈하는 거점으로 이용하기도 하였다.

김구가 공종렬의 집에 들어서니 집이 매우 크고 넓었으며, 공종렬은 김구를 보자 매우 반갑게 환대했다. 도망 다니는 김구가 안전하게 지내도록 김구의 손을 잡고 일곱 대문을 지나 자기 부인 방에 머물게 했다. 또 그의 어머니에게도 안내하였다. 김구도 인천에서 그의 모친을 뵌 적이 있기 때문에 반갑게 인사를 드렸다.

김구는 공종렬 집에서 며칠간 편히 지냈다. 그러던 어느 날 밤에 집 안에 큰일이 벌어졌다. 공종렬은 칼을 들고, 모친은 창을 끌고 나서는 모습이 달빛에 비친 것이다. 공종렬은 하인 한 명의 상투를 잡고 끌고 와 거꾸로 매달았다. 그리고 김구에게 하소연하였다. 하인이 과부 누님과 간통하였는데, 누님이 해산하다가 죽었으며, 공종렬은 하인을 불러 "자식을 데리고 먼 곳으로 가서 기르고 내 앞에 나타나지 말라"고 했는데도 집 근처에 살면서 집안에 수치를 끼친다는 것이었다. 공종렬은 김구에게 그 하인을 꾸짖어 멀리 달아나도록 해 달라고 하였다. 그래서 김구는 하인을 풀어 주고 이 댁에서 길러 준 은혜가 있는데, 주인의 면목을 무시할 수 있느냐고 호통을 쳤다. 그러자 하인은 김구의 모습을 슬쩍 보더니 두려운 표정으로 "나리 분부대로 하겠습니다. 살려주십시오"라고 하였다. 공종렬이 하인에게 오늘 밤으로 자식을 데리고 이 지방을 떠나라고 하자 하인은 그러겠다고 대답을 하고 물러갔다.

　다음 날 김구는 공종렬 집을 나왔다. 어젯밤 일이 소문이 났을 터이니 더 이상 숨어 있을 수 없다고 생각되었기 때문이었다. 공종렬은 자신의 매부가 무주에 살고 있다면서 소개장 한 장을 써 주었다. 김구는 공종렬의 환대를 받고 집안일도 해결해 주었으나 오래 있을 수는 없었다. 할 수 없이 그의 매부 집인 무주가 숨어 지내기 좋을 듯하여 무주로 향했다.

다시 찾은 강경

　김구는 해방 후 환국하여 1946년 가을 삼남 지방을 순회하는 길에 강경에 갔다. 김구는 부산을 거쳐 통영·보성·광주·함평·나주·전주·군산 등지를 지나 강경에 도착한 것이 그해 9월 4일이었다. 김구가 강경에 도착하자 많은 인파가 김구를 환영했다. 김구의 환영식장은 강경 중앙국민학교 교정에 차려졌다. 연단이 차려졌으며, 연단 위에서 김구는 연설을 하였는데 연설 내용은 알려지지는 않는다. 다만 현재 남아 있는 사진을 보면, 연단 위에서 김구가 연설을 하고 있고, 수많은 사람들이 교정에서 김구의 연설을 듣는 모습을 볼 수 있다. 또 연단 옆에는 무슨 글씨가 쓰여 있는 현수막이 걸려 있는 것도 볼 수 있다. 또 다른 한 장의 사진에는 김구가 연단 위에 서 있고, 연단 아래에서 여학생들이 춤을 추는 장면이 있다.

강경 중앙국민학교는 1905년 사립 보명학교로 시작된 충남 지역에서 역사가 오래된 학교이다. 김구가 강연한 1946년 9월 당시의 건물은 아래 건물이다. 연설 장면의 사진과 같은 건물임을 알 수 있다. 이 건물은 6·25전쟁 중이던 1950년 7월 18일 전소되었다.

　　김구는 강연회가 끝난 뒤 1898년 탈옥 후 신세를 졌던 공종렬의 소식을 탐문하였다. 그러나 자손도 없이 젊어서 자살했다는 소식을 듣고 40여 년 전 달밤에 공종렬 집에서 일어난 사건을 떠올렸다.

강경 중앙국민학교

강경 중앙국민학교 연단에 선 김구와 춤추는 학생들(1946.9.)

강경 중앙국민학교에서 강연하는 김구와 청중(1946.9.)

칠백의총 참배

　　김구는 공종렬의 집을 나와 무주를 향했다. 강경에서 무주를 가는 길에 금산을 지나게 되는데, 김구는 금산에 있는 칠백의총에 들러 참배했다. 김구는 동학에 참여하여 새로운 세상을 구현하고자 하였으나 일본군의 간섭으로 실패하였다. 고능선으로부터 위정척사사상을 전수받고 반일 사상을 키워 나갔으며, 국모의 복수를 하고자 쓰치다를 죽였던 김구는 금산에서 칠백의총을 보고 그냥 지나칠 수 없었다.

　　칠백의총은 임진왜란 때 왜군과 싸우다가 장렬히 순절한 조헌을 비

칠백의총

1971년 복원한 중봉조선생일군순의비

롯한 700명의 의사를 모신 무덤이다. 1592년 8월 조헌의 의병과 영규
대사의 승병이 청주성을 수복하고, 금산으로 들어와 고바야카와가 인
솔한 왜군과 혈전을 벌이고 전원이 순절하였다. 인조 25년(1647년) 순
의비殉義碑와 종용사從容祠를 건립하여 칠백의사의 신위를 모시고 이들
의 위업을 기렸다.

조헌 등 칠백의사의 금산성전투는 무기나 훈련도 부족한 의병들이
1만 5000에 달하는 왜군을 공격하였으니, 말 그대로 계란으로 바위를
치는 격이었다. 이들은 자신들이 죽을 것을 알면서 왜군 한 명이라도
죽이고자 불덩어리로 뛰어들었다. 이것이야말로 의병의 살신성인 정

신인 것이다. 김구는 칠백의총에 참배하고 묘 앞에 있는 비석과 종용
사를 보았다. 일제의 침략으로 국모가 궁정에서 시해당한 사건에 분개
하여 원수를 갚고자 일본인을 처단했던 김구였다. 김구는 300년 전 왜
구의 침략이 또다시 재연되고 있음에 두려움을 느끼며 아무런 일도 할
수 없는 자신의 처지를 한탄하였다. 김구로 하여금 많은 것을 느끼게
하였던 순의비와 종용사는 식민 통치 말기인 1940년 일제의 민족말살
정책의 일환으로 파괴되는 수난을 겪었다.

벗을 찾아 남원으로

김구는 무주에 도착하여 공종렬의 매부인 진陳 선전관의 집에
서 며칠 묵었다. 그러나 생면부지의 집에 오래 머물 수는 없었기에 김
구는 다시 길을 떠나 남원으로 김형진을 만나 보러 가기로 하였다. 김
형진은 김구가 안중근 집에 있을 때 만난 이로, 만주까지 함께 다닌 막
역한 사이였다. 그러나 남원에 갔더니 김형진의 소재를 아는 이가 없
었다. 다시 전주로 가서 김형진의 매부를 만나 김형진의 안부를 물었
더니, 이미 '황천객'이 되었다는 말만 들었다. 그날이 마침 장날이어서
김구는 장터에 갔다가 우연히 김형진의 동생을 만나 김형진의 모친과
부인이 금구의 원평에 있다는 말을 듣고 찾아가 조문하였다. 김구는
뒷날 환국 후 전주에 갔을 때 김형진의 아들과 조카들을 만나 기념사
진을 찍었으며, 또 이들을 경교장으로 초대하기까지 하였다.

김구는 금구에서 목포로 가서 감옥 친구 양봉구를 만났다. 이때 김구는 지게를 지고 노동자로 변장했었다 한다. 김구는 양봉구 집에서 얼마간 지내다가 목포 순검들이 인천 순검들과 내왕한다는 말을 듣고 그곳을 떠날 수밖에 없었다. 환국 후 김구가 목포에 갔을 때, 양봉구를 만나 보고 싶어 그의 행방을 찾았으나 단서를 얻지 못했다. 목포를 나온 김구는 해남·강진·보성·완도·순창·하동 등지를 전전하며 피신 생활을 하였다.

공주 마곡사

김구가 전라도 지역에서 피신 생활을 하다가 공주에 있는 갑사에 도착한 것이 1898년 가을이었다. 예부터 '봄에는 마곡사, 가을에는 갑사春麻谷 秋甲寺'란 말이 있다. 갑사에는 지금도 감나무가 많다. 가을에 빨갛게 익은 감이 주렁주렁 매달려 있는 풍경은 단풍보다 아름답고 정겹다. 갑사 계곡에는 그런 모습이 매년 펼쳐진다. 필자가 대학 시절 동학사에서 계룡산을 넘어 갑사까지 간 적이 있었는데, 빨간 감나무가 펼쳐져 있던 정경에 넋을 잃었던 것을 지금도 잊지 못한다.

김구도 갑사에서 감나무가 숲을 이루고 있는 경치를 본 것이다. 심지어 붉은 감이 익어서 저절로 떨어지곤 했다 하니 인상이 깊었음에 틀림없다.

김구가 봄에 탈옥하여 삼남 지방을 떠다닌 것이 어언 반년이
지났지만 여전히 갈 곳 없는 떠돌이 신세였다. 때는 어느덧 날
씨도 제법 쌀쌀해진 늦가을을 맞이하였다. 절에서 점심을 사
먹고 있는 김구에게 공주에서 건너왔다는 이 서방이 다가와
"노형이 이왕 구경을 떠난 바에는 여기서 40여 리를 더 가면
마곡사란 절이 있으니 그 절이나 같이 구경하고 가시는 것이
어떠하오?"라고 하였다. 김구는 마곡사까지 같이 구경하러 가
자는 이 서방의 제의를 받아들였다. 김구는 뒷날 이때의 심정
을 "한가로운 유람 생활은 이로써 끝나게 되었다"라고 회고하
였다. 탈옥 후 6, 7개월을 삼남 지방에서 감옥 친구들을 만나
피신 생활을 하며 갑사까지 왔으나 부모님이 계신 고향으로도
갈 수 없는 쫓기는 불안한 신세였다. 더욱이 겨울도 다가오는
데 갈 곳도 없어 사실상 막다른 길목에 놓여 있었다. 그러한 김
구에게 마곡사행 권유는 오히려 반가웠으리라.

기구한 인생, 마곡사에 들어가

김구는 이 서방과 함께 길을 떠나 마곡사를 향했다. 이 서방이
"40여 리"라고 했으나, 갑사에서 마곡사까지는 100리가 넘는 거리다.
갑사에서 마곡사까지 가려면 계룡과 공주 시내를 거쳐 우성과 유구를

지나야 한다. 『정감록』에 의하면, "여섯째는 공주 계룡산으로, 유구 마곡의 두 물골의 둘레가 200리나 되므로 난을 피할 수 있다"라고 하였다. 유구와 마곡 사이의 산골이 피난지라는 것이다. 유구와 마곡 사이를 줄여서 '유마지간'이라고도 한다. 이곳이 『정감록』에 나오는 십승지의 한 곳이다. 십승지란 난리에 처하여 몸을 보전할 수 있고 거주 환경이 좋은 지역을 말한다. 유마지간 중에서도 그 중심은 마곡사 주변을 말한다. 그래서 마곡사 주변에는 이를 믿고 들어온 사람들이 많다. 조선 말기에는 천주교도들이 피난 왔다. 이들은 마곡사 인근에 살면서 옹기점을 열었으며, 마곡사 일을 도와주고 먹을거리를 받아 살아갔다. 6·25전쟁 때도 북한 사람들이 난리를 피해 이곳에 많이 들어왔다.

동학의 2대 교주인 최시형이 정부의 탄압을 피해 태백산 등 여러 곳에서 피신 생활을 했는데, 이곳 국사봉 서남쪽 끝자락에 있던 가섭암에서도 숨어 지냈다고 한다. 1898년 6월 최시형이 체포되어 사형당했는데, 그로부터 얼마 지나지 않은 늦가을, 최시형으로부터 접주 임명을 받은 김구가 피신 생활을 하다가 끝내는 마곡사에 들어가게 되었다.

하루 종일 걸어서 마곡사 남쪽 산꼭대기에 오르니, 해는 황혼인데 온 산에 단풍잎은 누릇누릇 불긋불긋하였다. 가을바람에 나그네의 마음은 슬프기만 한데 저녁 안개가 산 밑에 있는 마곡사를 마치 자물쇠로 채운 듯이 둘러싸고 있는 풍경을 보니, 나같이 온갖 풍진 속에서 오락가락하는 자의 더러운 발은 싫다고 거절하는 듯하였다. 그러나 또 한편으로는, 저녁 종소리가 안개를 헤치고 나와 내 귀에 와서 모든 번뇌

1920년대의 마곡사 전경

를 해탈하고 입문하라는 권고를 들려주는 듯하였다. (『백범일지』 151쪽)

김구는 마곡사에 도착했을 때의 풍경과 심정을 이렇게 묘사하였다. 위 글은 마치 어느 수필집의 한 구절같이 유려하다. 비록 소설가 춘원의 손을 거쳐 나온 문장이라지만, 김구의 심사가 잘 나타난다. 필자가 김구의 자취를 찾고자 마곡사에 간 것이 11월 어느 날 오후 4시경이었다. 120년 전 김구가 왔던 시각도 비슷한 때였다. 며칠 전 내린 눈으로 남아 있는 단풍도 잎이 누렇게 바래 있었다. 김구가 느꼈을 쓸쓸함이 밀려왔다.

김구가 마곡사 입구에 이르자 왼편에 영산전과 매화당이 보였다. 영산전은 마곡사에 있는 건물 중에 가장 오래된 건물로, 세조와 매월당 김시습과의 이야기가 전해 오는 곳으로도 유명하다. 김시습이 계유정란으로 희생된 사육신의 시신을 수습하여 장례를 치러 준 뒤에 이곳 매화당에 은거하고 있었다 한다. 세조는 이 말을 듣고 마곡사까지 김시습을 찾아왔다. 하지만 김시습은 세조가 온다는 말을 듣고 부여 무량사로 몸을 피했다. 세조는 자신의 부덕을 탓하고 마곡사 옆 태화산의 군왕대에 올랐다. 군왕대는 태화산의 주봉에서 내려오는 정맥의 혈이 이른 곳으로 마곡사에서 땅의 기운이 가장 강한 곳이라 한다. 군왕이 나올 만하다 하여 '군왕대'란 이름이 붙여졌다. 이곳에는 겨울에도 눈이 쌓이지 않는다고 한다. 마곡사 스님들은 지금도 매년 이곳에서 군왕대제를 지내 지역사회의 발전과 안녕을 기원한다고 한다. 세조는 군왕대에 올라 "내가 비록 나라의 왕이라 하지만, '만세불망지지萬世不

忘之地'인 이곳과는 비교할 수가 없구나"라고 한탄하고 타고 온 가마는 버리고 말을 타고 서울로 올라갔다 한다. 지금도 마곡사에는 당시 세조가 타고 온 가마를 보관하고 있다. '영산전靈山殿'이란 편액 옆에 '세조 어필'이라 쓰여 있는데, 세조가 이곳에 왔을 때 쓴 것이라 한다.

김구는 매화당을 지나 태화산에서 흘러내리는 하천을 건넜다. 지금은 개울을 건너려면 극락교를 지나오면 되지만, 주지 원경 스님의 말에 의하면, 당시는 돌로 된 징검다리였으며, 극락교의 아래쪽에 있었다 한다. 마곡사에 들어가는 김구의 발걸음은 무거웠다. 그러나 자신의 발을 '더러운 발'이라고 묘사하면서 "한 걸음씩 한 걸음씩 혼탁한 세계에서 청량한 세계로, 지옥에서 극락으로, 세간에서 걸음을 옮겨 출세간의 길을 간다"라고 표현하였듯이, 더러운 발을 씻고, 혼탁하고 지옥과 같은 세계를 벗어나 맑고 맑은 욕심이 없는 극락세계로 들어가는 느낌을 받았던 것 같다. 김구는 다리를 건너 심검당尋劍堂에 들어갔다. 심검당은 '지혜의 칼을 찾는 집'이란 뜻으로 스님들이 일상생활을 하는 방이다. 부산 범어사를 비롯하여 서산의 개심사 등 전국 유명한 고찰마다 심검당이 있는데 대개 대웅전 옆에 있다.

김구가 심검당에서 저녁밥을 얻어먹고 조금 있자니 익산 출신으로 속성은 소蘇씨라 하는 노스님이 찾아와 은근히 자기의 상좌가 되기를 청하였다. 그가 바로 김구의 스승이 된 하은당荷隱堂이었다. 김구는 겸손하게 사양했다. 아무리 오갈 데 없는 처지라지만, 일찍이 유학을 공부했고, 더욱이 안 진사 집에서는 불교를 배척하는 위정척사론을 수학했던 그로서 갑자기 승려가 된다는 것은 결코 쉽지 않았다. 김구는 밤

마곡사 영산전

마곡사 심검당

새 만 가지 상념이 떠올라 잠을 이룰 수 없었다.

수계식

다음 날 아침, 갑사에서 같이 온 이 서방이 먼저 머리를 깎고 권유하자 결국 김구도 속세의 티끌을 털어 버리고 중이 되기로 작정하였다. 『백범일지』에 의하면 "내 상투가 모래 위로 툭 떨어졌다. 이미 결심을 하였지만 머리털과 같이 눈물이 뚝뚝 떨어졌다"라고 한 것으로 보아 김구로서는 어쩔 수 없이 선택한 길이었지만, 자신의 처량한 신세를 생각하며 눈물을 흘린 것으로 보인다.

드디어 수계식이 거행되었다. 각 암자에서 가사를 입은 스님 수백 명이 대웅보전에 모여들었다. 김구도 이 서방과 함께 검은 장삼과 붉은 가사를 입고 참석하였다. 김구는 절하는 법도 몰라 삭발을 해 주었던 호덕삼이 알려 주었다. 하은당이 김구의 승명을 '원종圓宗'이라 명명하여 부처님께 고하였다. 용담龍潭이라는 수계사受戒師 스님으로부터 계를 받았다. 스님은 불교 계율의 근원이 되는 5계를 가르쳐 주었다. 수계식이 끝난 후 김구는 보경당 스님을 비롯하여 노스님들께 절을 하였다. 이어서 『진언집』과 『초발심자경문』 등 불교 경전을 받고 스님이 갖추어야 할 법도와 절에서의 간단한 규칙을 배웠다. 스님들이 김구에게 "승행僧行은 하심下心이 제일"이라고 한 것으로 보아 승려의 첫 번째 수행의 길은 '자신을 내려놓는 것'임을 특별히 교육했던 것으로 보인다.

김구가 머리를 깎은 곳

김구와 같이 영웅심과 공명심이 강한 사람이 스님 생활을 하기 위해서
꼭 필요한 것이 '하심'이라는 것을 마곡사의 노스님들이 알았던 것이다.

김구는 마곡사에서의 스님 생활에 적응해 갔다. 처음에는 "물도 긷
고 나무도 쪼개거라"라는 하은당 스님의 호통에 당황하였다. 또 어느
날 물을 길어 오다 물동이 하나를 깨뜨리고 하은당에게 몹시 꾸지람을
당한 일도 있었다. 김구는 "하도 많이 돌아다녔더니 나중에는 별세계
생활을 다 하겠다"라고 혼자 웃다가 탄식도 하였다. 그러나 일단 스님
이 되었으니 스님의 법도에 따라야 했다. 낮에는 일을 하고 밤에는 예
불 절차를 배우고 『천수경』을 외웠다. 혜명慧明이라는 젊은 승려로부터
칼날 같은 마음을 품으라는 '忍참을 인' 자의 뜻도 배웠다.

김구는 마곡사에서 겨울을 지내고 다음 해인 1899년을 맞이하였다. 마곡사의 다른 스님들은 김구를 부러워하였다. 상좌로 모시고 있는 하은당이나 보경당이 재산이 많았고 또 노인들이어서 그들의 엄청난 재산이 결국은 김구의 차지가 될 것이기 때문이었다. 그러나 김구는 이 풍진세상의 인연을 모두 끊지 못하고 있었다. 절간에서의 생활이 탈옥범으로 은신하기는 좋았지만, 불법의 이치를 깨치는 데 몸을 바칠 정도의 불심이 생기지 않았다. 부모님을 비롯하여 바깥세상의 소식이 궁금했다.

그러던 어느 날 보경당에게 "소승이 이왕 중이 된 이상 중이 응당 해야 할 공부를 해야 되지 않겠습니까. 금강산으로 가서 경전의 뜻이나 연구하고 일생 충실한 불자가 되겠습니다"라고 금강산에 가서 불경 공부를 하고 싶다고 말하였다. 이에 보경당은 "내가 벌써 추측은 하고 있었다. 어쩔 수 있느냐. 네 원이 그런데야"라고 한 것으로 보아 보경당에게는 김구의 말이 이제 하산하겠다는 통고로 들렸던 듯하다.

김구는 쌀 10말과 의발을 받아 마곡사를 나왔다. 『백범일지』에 의하면 "그날부터 자유였다"라고 쓰여 있는 것으로 보아 절 생활이 쉽지 않았던 듯하다. 김구는 쌀 10말을 팔아서 여비를 챙겨 서울로 들어갔다. 서대문에 있는 봉원사에 갔더니 '忍' 자의 뜻을 설명해 주던 혜명도 와 있었다. 김구는 그에게 금강산으로 공부하러 가는 길이라고 말했다. 그러나 그와 헤어진 후 풍기에서 온 혜정이란 스님과 함께 평양 쪽으로 세상 구경을 떠났다가 그해 가을 환속하였다.

환국 후 마곡사를 찾아가다

해방 후 중국에서 환국한 김구는 "가장 인상 깊고 신세진 곳이 마곡사"라고 회고하고는 직접 마곡사를 찾아가기로 하였다. 김구가 마곡사를 찾은 것은 1946년 4월 23일로 보인다. 그가 마곡사에서 스님 생활을 하다가 금강산 간다고 나온 것이 1899년 봄이니까 꼭 47년 만이었다. 김구는 1946년 4월 22일 공주에 도착하여 공산성과 홍주 의병장 김복한 집을 찾아가 영정을 배알하였으며, 다음 날 오전에는 최익현의 사당인 청양의 모덕사에 가서 제문을 바쳤다. 그리고 오후에 마곡사를 향했다.

마곡사 입구에서부터 승려들과 한국독립당 사곡지구 당원들, 그리고 인근 사람들이 길 양쪽으로 도열하듯이 김구를 반갑게 맞이하였다. 공주에서부터 따라온 정당과 사회단체의 대표들이 350여 명에 달했으며, 거기에 마곡사 인근의 주민들까지 구경 나왔으니 인파는 마곡사를 뒤덮기에 충분했다.

김구는 입구에서부터 천천히 걸어가면서 청년 시절 스님 생활하던 추억을 되돌아보면서 "48년 전 중이 되어 굴갓을 쓰고 염주 걸고 바랑 지고 출입하던 길을 좌우를 살펴보며 천천히 들어가니, 의구한 산천은 나를 반겨 주는 듯하다"라고 회고하였다. 마곡사 일주문에서부터 사찰까지 들어가는 길은 굽이치며 흐르는 개울을 따라 길이 나 있다. 마치 속세에서 해탈의 세계로 인도하는 듯 산세가 그윽하다. 김구는 47년 전 스님이 되어 출입했던 길을 반백 년이 지나 다시 걸으며 남다른 감회를 느꼈을 것이다. 당시 수행 비서였던 선우진의 증언에 의하면, "선생은 절에 들어가시다가 못에 피어 있는 수련을 한참 동안 보며 상념에 잠기기도 하였다"라고 하였다. 마곡사를 떠난 이후 김구는 정말 많은 일을 했다. 나라가 망한 뒤에 또다시 체포되어 인천감옥에서 고초를 겪었다. 임시정부 문지기에서부터 시작하여 윤봉길 의거 이후 임시정부 문패를 지고 다니던 시절 등, 많은 일들이 주마등처럼 스쳐 갔을 것이다.

김구는 마곡사를 한 바퀴 둘러보았다. 대광보전에 당도하니 기둥에 걸려 있는 주련이 눈에 들어왔다. 백범은 주련이 "그때 그대로"라고 하였다. 주련의 내용은 다음과 같다.

> 淨極光通達(정극광통달) 청정함이 극에 이르면 광명에 걸림 없으니
> 寂照含虛空(적조함허공) 온 허공을 머금고 고요히 비출 뿐이라
> 却來觀世間(각래관세간) 물러나 세상일을 돌아보니
> 猶如夢中事(유여몽중사) 마치 꿈속의 일과 같네
> 雖見諸根動(수견제근동) 비록 육근六根이 유혹을 만날지라도
> 要以一機抽(요이일기추) 한 마음을 지킴으로써 단번에 뽑아 버릴지어다

위 내용 중에 김구의 눈을 사로잡은 것은 '물러나 세상일을 돌아보니, 마치 꿈속의 일과 같네'라는 3, 4행의 내용이었다. 그러면서 "지나온 일들을 생각하니 이 글귀는 과연 나를 두고 말한 것이 아닌가 생각되었다"라고 회상하였다.

　『백범의 길』 편찬 팀이 2017년 8월 29일 마곡사를 찾았을 때 일양 스님께서 우리를 마중 나와 안내해 주었다. 대광보전은 광명의 부처로 알려진 비로자나불을 모신 법당이라 했다. 대광보전에는 유형문화재 191호인 후불탱화 영산회상도가 봉안되어 있었다. 그리고 대광보전 마루에는 참나무 껍질로 만든 30평 정도의 돗자리가 있는데, 돗자리와 관련한 설화가 전해 온다고 하였다. 조선 후기에 이름 없는 앉은뱅이 가 이곳에 찾아와 백일기도를 드렸는데, 기도하면서 틈틈이 이 돗자리를 짰다 한다. 그리고 법당에 봉안된 비로자나불께 자신의 불구를 낮게 해 달라고 기도하였다. 백 일 뒤 돗자리를 완성하고 밖으로 나가는데 자신도 모르게 일어서서 법당문을 걸어서 나갔다 한다. 필자도 법당을 나오기 전 돗자리를 만지면서 어리석음을 깨쳐 광명이 보이게 해 달라고 빌었다. 이승에서 이룰 수 없는 너무 큰 소원을 말한 것이 아닌가 하는 생각도 들었다.

김구는 이시영을 비롯하여 20여 명의 일행들과 주련이 걸려 있는 대광보전을 배경으로 사진을 찍었다. 또 자신을 반겨 준 승려들과도 기념사진을 찍었다. 그리고 자신이 삭발했던 바위도 찾아갔다. 김구는 이때 "사찰은 예나 지금이나 변함없는 기상으로 나를 환영하여 주나, 50년 전같이 고생하던 승려가 하나도 없어 슬프다"라고 회상하면서 세월의 무상함을 토로하였다.

김구는 저녁을 먹고 마곡사 염화실拈花室에서 하룻밤을 지냈다. 『백범일지』에 의하면 "옛날 용담 스님에게 보각서장普覺書狀을 배우던 염화실에서 하룻밤을 의미심장하게 유숙하였다"라고 쓰여 있다. 염화실은 보통 조실이나 방장이 거주하는 집을 말한다. 대광보전에서 대웅보전으로 올라가는 우측에 있는 별채 기와집이 바로 김구가 하룻밤 묵었던 염화실이다. 마곡사의 승려들은 그날 밤 김구를 위하여 정성껏 불공을 드려 주었다.

다음 날 아침 김구는 무궁화와 향나무를 한 그루씩 기념으로 심고, 승려들의 환송을 받으며 마곡사를 떠났다. 지금도 향나무 한 그루가 김구의 혼을 기다리고 있기라도 하듯이 마곡사 경내를 지키고 있다.

마곡사 대광보전 앞에서 일행과 함께한 김구 (1946.4.23.)

백범당과 향나무의 모습

그로부터 2년 후인 1948년 5월 김구는 정양靜養을 위해 마곡사행을
계획했었다. 평양에서 개최된 남북연석회의를 마치고 서울로 돌아온
직후였다. 그러나 5월 20일 돌연 마곡사에서의 정양 계획을 중지하였
다. 중지 이유에 대하여 『민중일보』에서는 김구가 홍명희가 대표로 있
는 민족독립당과 김규식의 민족자주연맹과 함께 남북통일을 추진하
는 위원회 설치를 계획하고 있었기 때문이라고 하였다.

그로부터 1년여 뒤인 1949년 6월 26일, 김구는 경교장에서 안두희
의 총을 맞고 갑자기 세상을 떠나고 말았다. 김구의 장례식은 온 국민

이 슬퍼하는 가운데 국민장으로 성대하게 치러졌다. 전국주지회의에서는 김구의 사십구재 거행을 결의하였다. 마곡사에서는 정성을 다하여 사십구재를 올리고 명복을 빌었다. 지금도 마곡사에서는 백범기념관인 '백범당'을 건립하고 옆에 향나무를 이식하여 김구를 기리고 있다.

청양 모덕사
공주 공산성과

광복된 조국을 기리며

김구가 지방을 시찰한 것은 1946년 봄부터이다. 『백범일지』에 의하면, 충청도 지역 중에서는 공주를 맨 먼저 시찰하고 이어서 청양을 들렀다. 제2차로는 공주 마곡사를 시찰하기로 하고 공주에 도착하니, 충청남북 11군의 10여만 동포들이 운집하여 환영회를 거행하였다. 감격리에 환영회를 마치고 공주를 떠나고 김복한 선생의 영정과 면암 최익현 선생의 영정을 찾아가서 배알하고 동민의 환영을 받음과 아울러 유가족을 위로하였다.

공산성에 오르다

　김구가 공주에 온 것은 1946년 4월 22일이었다. 당시 『동아일보』 기사에 따르면 안미생을 대동하고 자동차로 당일 아침 10시경 서울을 출발하여 3시경에 공주에 도착하였다 한다. 김구가 공주에 온다는 소문이 널리 퍼졌던 모양이다. 당시 계룡산에 있는 동학사에서 공부하고 있던 김영탁은 김구가 온다는 소문을 듣고 공주 시내에 왔더니 그야말로 인산인해였다 한다. 김구에 대한 관심과 인기가 대단했음을 알 수 있다. 김구는 차를 타고 오다가 금강 건너편 전막 쪽에서 내려 일행과 함께 걸어서 금강교를 건너왔다 한다. 전 공주문화원장 나태주 시인이 김영탁 교수한테 들은 바에 의하면, 군중에 끼어 선생을 뵈니 일흔 살 노인인데도 걸음걸이가 젊은이 못지않게 활달했는데, 선생은 종아리가 반쯤이나 나온 칠부바지 차림이었다 한다. 또한 바지 안에는 아무것도 입지 않은 맨살이어서 그것이 인상적이었다고 한다.

　김구가 공주에 도착하자 충남 경찰청장과 공주 경찰서장 등이 나와 공주군민 환영회장으로 안내했다. 수행했던 선우진에 의하면, 많은 군중이 모인 감격적인 환영회였다고 회고하였다. 공주대 윤여헌 교수에 의하면 중동국민학교에서 환영회와 강연회가 있었다고 한다. 중동국민학교는 1898년 설립된 역사가 오래된 학교로 공주의 중심부에 위치해 있다. 강연 내용은 알려지지 않는다.

　환영 행사가 끝난 후 공주 유지들과 함께 공산성에 올랐다. 공산성에서 찍은 사진을 보면, 양복을 입고 넥타이를 맸으며, 중절모에 오른

손에 단장을 짚었다. 왼쪽 가슴에 꽃을 달고 있는 모습으로 보아 아마도 행사가 끝난 후 공산성에 오른 듯하다. 후일 부통령을 지낸 이시영 등 일행도 함께했다.

공산성은 백제 문주왕이 서기 475년 웅진성에 도읍을 정한 후, 538년 성왕이 부여로 천도할 때까지 5대 64년간 백제의 도성이었던 곳이다. 주위는 약 3킬로미터, 동서 800미터, 남북 400미터의 타원형이다. 현재의 성벽은 임진왜란 후에 축성되었으며, 광복루 밑 일대에는 백제 시대 토성이 남아 있다. 성안에는 광복루를 비롯하여 공북루·진남루·쌍수정·임류각 등의 누각과 쌍수정사적비와 영은사 등이 남아 있다. 공산성은 신라 말기 김헌창이 난을 일으켜 '장안'이라는 나라를 세워 항전했던 곳으로 알려지고 있으며, 이괄의 난 때 인조가 파천했던 곳으로도 유명하다.

공산성에는 쌍수정의 건립과 관련한 이야기가 전해 온다. 인조가 공산성에 있을 때, 나무에 기대어 멀리 북쪽 궁궐을 바라보곤 했는데, 난이 평정되었다는 소식을 듣고 인조가 그 나무에 금대와 통정대부의 작호를 내렸다 한다. 또 공산성에는 인절미와 관련한 설화가 내려온다. 인조가 파천해 있을 때 임씨 댁에서 콩고물 묻힌 떡을 진상하였는데 인조가 시장한 참에 연거푸 몇 개를 먹더니 "맛이 있구나, 떡 이름이 무엇이냐" 하고 물으니 아무도 대답하지 못했다. 인조는 임씨가 진상했다는 말을 듣고 "임 서방이 지은 떡 맛이 절미絶味로다" 하여 이때부터 '임절미任絶味'라고 부르다가 음운변화에 의해 '인절미'가 되었다고 전해 온다.

공주 공산성에서의 김구 (1946.4.22.)

김구는 공산성을 둘러보고 가장 높은 곳에 있는 누각에 올랐다. 해발 110미터에 있는 누각에서는 공산성과 금강을 한눈에 바라볼 수 있다. 누각은 앞면 3칸, 옆면 2칸이며 지붕은 팔작지붕이다. 왼쪽에 계단이 있어 누각에 오를 수 있게 되어 있다. 이 누각은 원래는 공산성 내 중군영의 문루로 공산성의 북문인 공북루 옆에 있었다. 이름도 '해상루海桑樓'였다. 일제강점기에 현재의 곳으로 이전하였는데, 조선총독 데라우치寺內正毅가 공주를 방문하고 이름을 '웅심각雄心閣'으로 바꿨다 한다.

김구가 누각에 오르자 '웅심각'이란 간판이 보였다. 김구는 공주의 유지들로부터 웅심각으로 현판이 바뀌게 된 사연을 듣고 광복을 맞이한 것을 기려 '광복루'로 하자고 제안하였다 한다.

김구는 공산성을 둘러보고 공주 시내 동명장 여관에서 묵었다. 이 여관은 그 뒤 음식점으로 바뀌어 1980년대까지 운영하다가 지금은 건

김구가 조국의 광복을 기려 이름을 지은 광복루

물이 헐리고 그 자리엔 다른 건물이 들어섰다. 동학사에서 공부하던 청년 김영탁은 김구가 묵고 있던 동명장까지 찾아가 김구를 만났다. 김구는 이시영과 함께 나란히 앉아 있었다. 큰절을 드리자 김구가 "나와 함께 광복된 조국과 민족을 위해 일해 보지 않겠느냐?"고 말씀하더라는 것이었다. 한데, 그 눈빛이 어찌나 강렬하고 뜨겁던지 더럭 겁이 나서 대답도 제대로 드리지 못하고 그 방을 물러나 나왔다고 한다.

김복한 선생 영정을 배알하다

다음 날인 4월 23일 김구는 홍주 의병장 김복한의 장자인 김은동이 살고 있는 집을 찾아갔다. 김은동은 부친인 김복한이 공주감옥에 자주 갇히게 되면서 옥바라지를 위해 공주에 거처를 마련했다 한다. 김구의 비서였던 선우진의 회고에 의하면, "환영회를 마치고 김구는 구한말 의병장으로 이름 높았던 유학자 고 김복한 선생 댁에 들러서 김복한 선생의 영정에 배알하고 준비된 점심을 드시고 떠났다. 그 댁 총각들은 그때까지도 전부 머리를 깎지 않고 땋고 있었다" 한다. 윤여헌 교수의 말에 의하면, 김복한의 장자가 무령왕릉 아래 마을, 지금의 공주중학교 근처에서 기거했다고 한다.

지산志山 김복한(金福漢, 1860~1924)은 남당 한원진의 사상을 이어받은 남당학파 계열의 유학자이다. 1896년 홍주 의병장에 추대되어 활동하다 옥고를 치렀으며, 1905년 을사늑약에 반대 상소를 올리고 또

옥고를 치렀다. 1906년 홍주 의병 때에도 체포되어 공주감옥에 갇혔다. 1919년 파리장서운동을 주도한 일로 다시 공주감옥에 갇히는 등 철저한 항일투쟁을 전개한 민족지사였다.

김구가 화서학파 유학자로부터 위정척사사상을 전수받기는 했으나, 김복한과는 인연이 없다. 그런데 일부러 집을 찾아가 영정을 배알한 것은 당시 김복한의 셋째 아들 김명동이 반탁총동원위원회 중앙상무집행위원으로 활동하고 있었기 때문이 아닌가 한다. 김명동(金明東, 1902~1950)은 일제강점기 신간회 중앙상무위원을 지냈다. 해방 후에

김복한 영정

는 공주에서 살면서 반탁활동을 했으며, 대한독립촉성국민회에도 참여하였다. 1948년 제헌국회의원 선거에 공주에서 무소속으로 출마하여 당선되었다. 그리고 국회 내의 반민특위 충남 지역 대표 겸 조사위원으로 활동하였다. 그러나 이승만 정부의 탄압으로 임기 중에 체포되었다가 풀려난 지 얼마 안 되어 돌연 사망했다.

김구가 김은동 집에 갔더니 모두 머리를 땋고 있었다고 하였는데, 당시 김은동의 장자 윤현이 30세이고 손자 중일은 7세 때였다. 오래 전 손자 중일 씨도 어렸을 때 김구를 만나 뵈었다는 증언을 필자에게 한 바 있다.

최익현의 사당 모덕사

김구는 1946년 4월 23일 오후에 청양의 모덕사를 방문했다. 모덕사는 한말 화서학파 유학자 최익현(崔益鉉, 1833~1907)의 항일정신을 기리기 위해 1914년 창건되었다. 사당 옆에는 최익현이 살던 중화당이 잘 보존되어 있다. 포천에서 태어난 최익현은 1873년 이른바 대원군 탄핵소를 올린 이로 잘 알려진 인물이다. 그는 대표적인 위정척사론자로, 병자수호조약 체결을 반대하여 올린 「5불가소」는 그의 사상을 단적으로 알려 준다. 그는 68세 되던 1900년 지금의 충청남도 청양군 목면으로 이주하였다. 서울 근교를 떠나 벽지에서 은거하기 위해서였다. 1905년 을사늑약에 반대 상소를 올렸으며, 1906년 태인의병

모덕사 전경

장에 추대되어 활동하였다. 순창 전투에서 동족끼리 싸울 수 없다면서 부대를 해산하고 체포된 그는 대마도에 유배되어 그곳에서 순국하였다. 그의 의병 봉기와 순국은 전국적으로 항일 의병을 고조시키는 데 큰 영향을 주었다.

안중근 집에서 화서학파 유학자 고능선의 가르침을 받았던 김구는 자신이 화서학파 문인임을 자처하였다. 김구는 공주 시내에서 마곡사

가는 길목에 있는 최익현의 사당인 모덕사를 찾아 고유문을 올리고 참
배했다. 김구는 그해 8월에도 춘천의 유인석 묘에 찾아가서도 고유문
을 올렸다. 김구는 고유문에서 "구九는 후조(後凋, 고능선의 호) 선생의
제자로서 일즉부터 선생을 모앙慕仰하야"라고 자신이 고능선의 문인임
을 밝히고 있다. 이와 같이 김구는 최익현과 유인석과 같은 화서학파
유학자들에 대하여 존경의 마음을 가지고 있었음을 알 수 있다.

　모덕사에서는 최익현의 손자인 최원식 등 일가족이 김구를 맞이하
였다. 둘째 손자 인식의 아들인 병국 씨의 말에 의하면, 김구가 온 것은
23일 오후였다고 한다. 수행 비서였던 선우진이 "김복한 선생의 영정
에 배알하고 준비된 점심을 드시고 떠났다"라고 한 것으로 보아 김구
는 공주 시내의 김복한의 아들 집에서 점심을 먹고 모덕사에 온 것으
로 보인다. 모덕사는 정산 시내에서 청양 쪽으로 가는 길에서 다시 좁
은 마을 길로 들어가야 한다. 김구는 자동차로 청양 가는 신작로까지
와서는 차에서 내려 모덕사에서 보낸 사륜교를 탔다. 이시영은 보교步
輿를 탔다 한다. 신작로에서 모덕사까지는 길이 좁아 자동차가 들어갈
수 없었기 때문이었다. 장구동 뒷산과 앞산에 경찰이 빽빽하게 경비를
섰다 한다. 김구가 탔던 사륜교는 지금도 기념관에 보관되어 있다.

면암의 영정 앞에서

　김구는 먼저 면암의 영정을 배알하고 고유문을 바쳤다. 고유문

은 "대한민국 28년 4월 23일 김구근이청작다향제고우金九謹以淸酌茶香祭 告于 고최익현선생지영故崔益鉉先生之靈"으로 시작된다. 임시정부의 연호를 사용하고 있으며, 제사를 올린 날이 4월 23일임을 알려 준다. 김구는 제문에서 "원수는 비록 갔으나 광복된 나라에는 걱정되는 일이 많습니다"라고 해방 직후의 혼란상을 토로하고 있다. 이어서 "제가 나라에서 보낸 제관은 아니오나 생민의 모든 정성을 모아 드리나이다. 이후에는 나라에서 지내는 제사로 마땅히 정성을 드리겠나이다"라고 이번에는 국가적 행사로 제사를 올리지는 못하지만, 후일에는 마땅히 나라에서 제사를 지내야 함을 밝혔다.

제향을 마친 김구는 모인 청중들에게 연설을 했다. 최병국의 증언에 의하면 지역의 유림들을 비롯하여 주민들로 마당이 꽉 찼으며, 단장을 짚고 연설하는 김구의 인상이 강직했으며 허리도 반듯한 것이 건강도 좋아 보였다 한다. 면암 선생을 숭배했다는 말과 "…하려니와"라는 말이 기억에 남는다고 한다. 이시영은 허리를 구부리고 있는 모습이 완전히 할아버지 같았다 한다. 김구가 암살당했다는 말을 라디오로 듣고 "누가 시켜서 그런 일이 생겼나"라고 생각했다면서 당시 지역의 유림들은 김구의 장례식에 참석차 서울로 갔었다 한다.

최익현의 고손인 최창규 교수도 이때 김구를 만났다. 최창규 교수의 증언에 의하면, 김구가 머리를 땋고 있는 자신을 보고 학교에 다니느냐고 물었으며, 면암 후손이라 하여 학교 입학이 불허되었다고 하자 학교 입학을 주선해 주었다고 하였다.

고택
예산 윤봉길 의사

나고 자라난 고향
윤봉길 의사

김구는 환국한 직후 윤봉길을 비롯한 이봉창, 김주경의 유가족들을 신문을 통해 찾았다. 신문광고를 본 이봉창의 조카딸이 서울에서 찾아왔다. 김주경의 아들은 이북에 있어 오지 못했으나, 딸과 친척들이 강화와 김포 등지에서 찾아왔다. 윤봉길의 둘째 동생 윤선의는 1945년 12월 2일 조카 윤종을 데리고 상경하여 오전 11시 반에 경교장에서 김구를 만났다. 윤종은 당시 서산농림학교 3학년에 재학 중이었다. 그 자리에서 김구는 윤종의 손을 잡고 유족의 상황을 묻고 격려하였다. 그리고 13년 전 윤봉길을 만난 이야기부터 상하이의거의 진행 과정에 대하여 상세한 전말을 설명해 주었다.

백범의 길 _____ 김상기

김구를 만난 윤종

윤종은 김구를 만나고 나와 다음과 같이 말했다.

웬일인지 가슴이 터지는 것 같아서 김구 선생을 바로 뵈옵지도 못했습니다. 소학교 때에 세곡細谷이란 일인 교원은 나를 이 세상에서 제일 나쁜 아이라고 전교에 선전을 하고 구박을 받던 생각을 하면 이가 갈립니다. (『자유신문』 1945. 12. 3.)

윤종은 김구를 만나니 가슴이 터지는 것 같은 느낌이었으며, 국민학교 다닐 때 일본인 교사의 구박을 받던 일이 있었음을 말했다. 또 『조선일보』에 자신의 포부를 다음과 같이 밝혔다.

상하이폭탄사건 시에는 저는 겨우 다섯 살이었습니다. 아버지의 모습을 단지 사진을 보고 머리에 그려 볼 뿐입니다. 상하이사건 이래 일본 관헌의 압박이 혹독하여, 저뿐 아니라 우리 일가 전체의 진학을 저지당하였으므로 저는 중학을 다니고 장차 정치학을 전공하여 볼까 하던 희망도 끊어지게 되어 할 수 없이 농림학교에 들어갔었습니다. 이제 해방이 되었으니 정말 마음 놓고 내 뜻대로 정치학을 전공할까 합니다.

윤종은 자신을 포함하여 일가들이 윤봉길의 집안이라는 것 때문에 진학이 저지되었으며, 자신도 정치학 전공을 택할 수 없어 농림학교에 들어갔다는 것이었다.

덕산 가는 길에 만난 환영 인파

김구는 1946년 4월 26일 예산군 덕산면 시량리에 있는 윤봉길 의사의 집을 찾아갔다. 아산 쪽에서 자동차를 타고 덕산을 향했던 것으로 보인다. 아산에서 덕산 쪽으로 가려면 신례원을 지나야 한다. 김구가 신례원을 지나가는데 생각하지도 못한 환영 인파를 만났다. 당시 신례원국민학교 학생들이 학교 앞을 지나가는 김구를 환영하러 나온 것이다. 신례원국민학교는 신례원의 큰길 옆에 위치해 있다. 전교생들은 태극기를 들고 길 양옆에 서서 지나가는 김구에게 태극기를 흔들고 환영했다.

당시 신례원국민학교 2학년 학생이었던 이선범(1938년생, 신례원국민학교 7회)의 증언에 의하면, 자신도 선생님의 지시에 따라 태극기를 들고 학교 앞 큰길가로 나갔었다 한다. 김구가 환영 인파를 보고 자동차에서 내려서 걸어왔으며, 일행 중에는 한복을 입은 신정옥도 있었다 한다. 신정옥은 김구의 비서였던 신현상의 딸인데, 같은 신례원 출신이기 때문에 확실히 기억한단다. 김구는 흰색의 두루마기를 입었었다 한다.

김구는 신례원을 지나 예산 시내에 들어갔다. 『동아일보』 1946년 4월 23일 기사에 의하면, 덕산에 가는 도중 예산 본정국민학교, 지금의 예산초등학교에서 강연회를 할 예정이라고 하였다.

> 27일 오전 9시부터 덕산면 고 윤봉길 의사의 고택에서 추도식을 거행
> 코자 김구 총리, 조소앙, 김창숙, 권태석, 안재홍 제씨는 26일 예산에
> 도착하여 동일 하오 3시부터는 예산 본정국민학교에서 강연회를 개
> 최하리라 한다.

예산초등학교는 예산 시내 중심가에 있는 유서 깊은 학교이다. 신
문 기사처럼 김구가 그곳에서 실제로 연설을 했는지 여부를 알 수 없
던 차에, 김구의 연설을 직접 들은 이를 찾을 수 있었다. 당시 예산농업
학교 3년생이던 이춘범이 바로 그 주인공이다. 이춘범은 예산 출신으
로, 뒷날 예산중학교에서 역사 교사를 하였다. 그의 말에 의하면, 본정
국민학교 운동장에서 김구의 연설회가 있었는데, 그 소문을 듣고 국민
학교 학생뿐만 아니라, 예산농업학교 학생들과 주민들이 다수 참석했
었다 한다.

그는 김구의 강연 내용 중에 인상적인 것을 기억하고 있었다. 김구
는 그날 모인 청중들에게 학교 뒤에 보이는 금오산을 손으로 가리키면
서 "저 금오산을 푸르게 해야지 그냥 놔 두면 안 됩니다"라고 했다 한
다. 금오산은 국민학교 뒤편에 보이는 산으로 예산 읍내에서 가장 높
은 산이다. 또 김구는 청중을 향하여 "앞으로 정부가 수립되면 이승만
박사를 대통령으로 모셔야 합니다"라고 하는 말을 분명히 들었다고 하
면서 그때까지는 둘의 사이가 좋았던 것 같다고 하였다.

뒤로 금오산이 보이는 예산초등학교

　　자신은 1949년 4월 예산 시내의 호서은행 앞에 건립한 윤봉길열사 기념비 준공식에도 참석하였으며, 그때도 김구를 봤다 한다. 그리고 그해 6월 김구가 암살당하자 예산농업학교에서는 김구를 위한 추도식을 거행했는데, 6학년이던 자신이 학생 대표로 추도사를 낭독했다 한다. 당시 예산농업학교의 교장은 성낙창 선생님이었는데, 추도식을 거행할 정도로 김구를 존경했던 것 같다고 회고하였다.

　　강연회를 마친 김구는 덕산의 윤봉길 고택을 향해 출발했다. 신문 기사에 의하면, 일행은 김구를 비롯하여 조소앙, 김창숙, 권태석, 안재

삽교역 앞길. 김구 일행을 주민과 학생들이 이 길에서 환영하였다.

홍 등이었다. 예산에서 덕산을 가기 위해서는 삽교역 앞길을 지나야한다. 삽교역은 윤봉길 의사가 '장부출가생불환(丈夫出家生不還, 장부가 뜻을 품고 집을 나가 살아서는 돌아오지 않겠다)'이란 유서를 써 놓고 집을 나와 상하이로 망명할 때, 이곳까지 걸어와서 기차를 탔던 유서 깊은 곳이다. 삽교역은 지금은 철도의 직선화 작업으로 앞쪽으로 이전되었고, 옛 삽교역 자리는 공원으로 변해 있었다. 그 자리에 윤 의사를 기리는 기념비가 세워져 있다.

김구가 삽교역 앞을 지나는데 또다시 환영 인파를 만났다. 삽교국민학교 학생들이 태극기를 들고 나와 김구를 맞이한 것이다. 학생들은 길 양쪽에 서서 태극기를 흔들면서 지나가는 김구를 환영했다. 당시 삽교국민학교 3학년 학생이었던 이건수 씨(1935년생)는 당시의 상황을 생생히 기억하였다. 태극기를 들고 김구 일행을 맞이했는데 하얀 두루마기를 입고 지나가는 김구를 보았다고 한다. 어느 기록에도 없는 또 다른 김구의 자취를 확인할 수 있었다.

오랜만에 삽교역을 찾아갔다. 필자가 서 있는 곳에 학생들이 태극기를 들고 서 있었다 한다. 그런데 필자가 서 있는 바로 왼편의 치킨집이 그동안 찾고 싶었던 중국 음식점 자리였음을 확인할 수 있었다. 필자가 고등학교 때 방학이 되면 익산에서 기차 타고 군산까지 와서 다시 배 타고 장항까지 온 후 다시 장항선 기차를 타고 삽교역까지 왔었다. 거기서 다시 버스 타고 서산까지 가야 했는데, 그때 이 중국집에서 짜장면을 사 먹곤 했었다. 어느 아주 추웠던 날, 이 중국집 난로 위에서 끓고 있는 주전자의 보리차를 마시고 추위를 달랬던 기억이 생생하다. 나에게는 추억이 있는 그리운 집이다. 그동안 한 번은 찾아가고 싶었던 곳이었는데, 김구의 자취를 찾다가 우연히 40여 년 전의 내 추억을 찾으니 감회가 새롭다.

윤봉길 의사의 고택을 방문하다

김구 일행은 저녁 무렵에야 덕산의 윤봉길 고택에 도착하였다. 윤 의사의 부친 윤황 씨를 비롯하여 가족들이 마중 나왔다. 당시 열두 살이던 윤자 씨의 말에 의하면, "꺼먼 큰 차를 타고 오셨고, 꺼먼 차 몇

상하이의거 추도식 장면(1946.4.27.)

십 대가 따라왔었다" 한다. 윤자 씨는 윤 의사의 백부의 손녀로, 윤 의사의 당질에 해당한다. 김구는 윤 의사의 부모께 인사드리고 미망인 배씨 부인을 위로하였다. 김구는 배씨 부인이 거처하던 방에서 묵었다. 큰며느리인 안미생이 수발을 들어 주었다 한다. 그날 밤 김구는 "어디서 장례식을 치르면 좋겠소?"라고 윤 의사의 부친과 유해 봉안과 영결식에 이르는 절차를 상의했다. 김구는 이미 삼의사 유해 봉환단을 일본 가나자와에 보내 윤 의사의 유해를 발굴하여 도쿄에 봉안하였다는 보고를 받은 뒤였다. 윤 의사의 부친은 온 가족을 모아 놓고 가족회의를 열었다. 그리하여 "중앙에 일임하도록 하자. 고향이든 어디든 그분들의 의사에 일임하자"고 결론짓고 그 뜻을 김구에게 전달하였다.

다음 날인 4월 27일, 고택 위쪽 개울가에서 의거 14주년 기념식을 거행하였다. 지금은 제방을 쌓아 개울로 변해 있지만, 당시는 개울가가 벌판과 같았다 한다. 김구를 비롯하여 안재홍 민정장관과 지역의 각계 인사들이 참석하였다. 다른 지역에서도 부인회·청년회·경찰서·학교 등지에서 대표들이 참석하였다. 현재 남아 있는 사진을 보면 '해미청년회', '독립촉성회 아산지회'란 깃발이 보인다. 인근의 주민은 물론 수덕사의 승려들도 참석하였다. 참석자가 2000~3000명에 달했다고 전해 오니 말 그대로 인산인해를 이루었다. 기념식을 위해 식단을 만들고 천막을 드리웠다. 마이크도 설치하였다. 식은 기념준비회장 김병욱의 개회사에 이어 김구의 기념사, 그리고 조경한의 보고가 있었으며 오후 4시경에 대성황리에 끝났다.

윤자 씨의 기억에 의하면, 예산농업학교의 밴드부가 와서 연주도 하는 대단한 행사였다고 한다. 김구는 상하이에서 윤 의사를 만나 같이 기거했던 일 등을 말했다고 한다. 또 마을 사람들은 행사에 참가한 학생들에게 밥을 해 주었으며, 윤 의사의 집은 경찰들이 대문을 지키고 있어 가족 이외의 외부인은 집에 들어오지 못했고 감시가 무서웠다고 한다.

오후 4시에 식을 마치고 서울로 올라간 김구는 4월 29일 서울운동장에서 상하이의거를 추모하는 기념 대회를 열었다. '윤열사의거기념회'의 주최로 열렸는데, 이 기념회를 발기한 이는 김구를 비롯하여 이승만, 조소앙, 김창숙, 김규식, 권동진, 홍진, 안재홍 등 각계 인사들이었다.

기념식은 4월 29일 오후 1시부터 엄숙히 개최되었다. 식장의 중앙에 제단을 차리고 윤 의사의 영정을 모셨으며, 각 정당과 단체 대표, 유가족, 내빈과 학생 등 수만 명이 참석하였다. 기념식은 국기 게양과 애국가 합창에 이어 김구의 기념사가 있었다. 조경한의 약력 보고와 엄항섭의 의거 상황 보고가 있고, 2분간 묵념이 있었다. 경기고녀와 이화대학 합창대의 합창에 이어 이승만의 축사가 있었다. 그리고 홍진과 러치Archer L. Lerch 미군정장관의 축사를 뉴맨 공보국장이 대독하였으며, 중국 교민 대표 정원간과 조소앙의 축사에 이어 공산당 대표 홍남표, 한민당 대표 김성수, 인민당 대표 신경철, 신민당 대표 백남운, 재미한족연합회 대표 한시대 등 여러 내빈의 간곡하고 정중한 축사가 있은 후 김구는 유가족에게 위문품을 증정하였다.

유가족 대표로서 윤 의사의 외아들인 윤종은 감격에 넘치는 답사를 하였다. 윤종은 아버지의 거사를 빛내 주니 영광스럽고 감격스럽다고 하며, 아버지가 사형당했다는 소식을 듣고 모친이 각오를 하고 있었다며 태연할 수 있었던 것도 아버지의 감화 덕분이라면서 아버지의 뜻에 따라 훌륭한 국민이 되겠다고 다짐하였다.

김구는 기념식을 마친 지 이틀이 지난 5월 1일 병원에 입원하였다. "김구 민의총리는 심장병으로 1일부터 용산 제1성모병원에 입원 가료 중이다"라는 기사가 그것이다. 연일 계속된 행사에 몸에 무리가 가지 않을 수 없었다.

'윤봉길열사비' 제막식

김구는 1949년 새해를 맞이하여 통일의 염원을 재확인하면서 자주적 민족정신에 입각하여 국가 건설의 필요성을 주장하였다. 그러나 점차 고착화되어 가는 분단 조국의 앞날을 걱정하지 않을 수 없었다.

1949년 4월 29일 윤 의사의 상하이의거 기념일을 맞이하였다. 김구는 예산에서 열리는 '윤봉길열사비' 제막식에 참가하기 위해 예산에 내려갔다. 이것이 자신의 마지막 지방 행차가 될 것이라고는 전혀 상상하지 못했다. '윤봉길열사비' 제막식은 윤봉길의 고향인 예산군의 옛 호서은행 앞에서 개최되었다. 이 비는 상하이의거 16주년 기념으로 예산군 교육회와 충청남도 선열유적보전회가 주선하여 건립되었다. 비문은 정인보가 짓고 글씨는 김충현이 썼다. 1949년 2월 18일 착공하여 총공사비 65만 원이 들어갔다 한다. 신문 기사에 의하면, 제막식에

'윤봉길열사비' 제막식에 참가한 김구와 윤봉길 의사 유족들(1949.4.29.)

는 김구 이외에도 국회의장, 문교장관 등이 참석할 예정이라고 하였으나, 실제 누가 참석했는지는 확인이 안 된다.

당시 준공식을 마치고 찍은 기념사진에 의하면, 흰 두루마기에 지팡이를 짚고 있는 김구 옆에 어린이 한 명이 있고, 그 옆에 윤 의사의 부친 윤황과 백부 윤경, 부인 배용순, 그리고 교복을 입은 아들 윤종과 여동생 윤순례가 확인된다. 정인보가 지은 '윤봉길열사비' 비문의 앞면에는 "윤봉길렬사 나고 자라난 고향이다"라 새겨 있어 이 비를 지역에서는 '윤봉길열사비'라 부른다.

'윤봉길열사비'는 충청남도 지정 기념물 제66호로 지정되었다. 예산지역에서는 이 열사비를 소중하게 관리하고 있다. 열사비 건너편에 있는 예산경찰서에서는 광복절을 맞이하여 서장을 비롯하여 직원들이 찾아 헌화하고 윤 의사의 숭고한 뜻을 기리기도 하였다. 또 『백범의 길』편찬 팀이 비문을 검토하고 사진을 찍고 있는데 열사비 바로 앞에 있는 약국의 약사가 들어오라고 해서 들어갔더니, 김구가 참석한 열사비 준공식 기념사진을 액자에 걸어 놓고 있는 것을 볼 수 있었다. 필요하면 이 사진도 찍으라고 하였다. 위에서 설명한 김구와 윤 의사의 가족과 함께 찍은 바로 그 사진이었다. 김구와 윤 의사의 정신이 지역에 오롯이 전해지고 있음을 느낄 수 있었다.

김구는 제막식을 마친 뒤 윤 의사의 가족을 따라 윤 의사의 집으로 가서 하룻밤을 지냈다. 김구는 윤 의사를 비롯한 삼의사의 유해를 고국에 봉환한 뒤에, "그 세 사람을 죽으라고 내보낸 것은 바로 나다"라고 말하고 있듯이, 윤 의사의 죽음에 대한 부채 의식이 컸던 것 같다. 김구는 환국한 뒤에 틈틈이 배씨 부인에게 생활비를 부쳐 주었다. 송금 명목은 '백범이 집주인 윤봉길 씨에게 오래전에 진 채무를 갚아 주는 형식'이었다 한다. 또 배씨 부인에게 '친딸과 같이 생각하겠다. 살기가 어려울 테니 서울로 올라오라'고 권했다. 배씨 부인은 김구의 배려로 서울대병원에서 부인병을 치료받았는데, 퇴원하기 전날에 김구가 암살을 당했으니 부인은 억장이 무너지는 심정이었다. 배씨 부인은 1955년 서울의 아들 집으로 이사 와 살다가 1988년 7월 작고했다.

춘천 가정리 유인석 묘소

신복룡

전 건국대학교 석좌 교수

유인석 묘소
유인석 생가 터
주일당

춘천 가정리
유인석 묘소

존경과 그리움의 여정

의암毅菴 유인석(柳麟錫, 1842~1915) 선생 유적지는 가을 하늘 아래 참으로 아늑하고 고즈넉했다. 초가을 햇살마저 그리 아름다울 수가 없다. 그 유명한 유원지 강촌을 지나 멀리 바라보이는 마을은 유인석의 문중 집성촌인 가정리인데 한 마을에서 독립유공자가 열두 분이 나왔다고 한다.

1946년 8월 17일 토요일, 김구는 유인석의 묘소를 참배하고자 서울을 떠났다. 김구는 청평에서부터 배를 타고 홍천강을 거슬러 올라가 가정리에 이른 다음, 다시 가마를 타고 유인석의 묘소에 이르렀다.

김구는 유인석에게 가르침을 받은 것도 아니며 직접적인 인연도 없다. 그럼에도 왜 의암의 묘소를 찾아갔을까? 김구의 스승 고능선은 유인석과 교유할 때 그에게 김구의 의거를 말한 바가 있고, 유인석의 행적을 적은 『소의속편昭義續編』에 김구의 치하포사건이 기록되어 있는 것으로 보아 유인석은 김구의 의거를 알고 있었다. 이런 점들을 고려해 본다면, 김구가 춘천의 오지까지 찾아가 유인석의 묘소에 참배한 것은 그의 스승 고능선에 대한 그리움과 유인석에 대한 존경심이 함께 작용한 것으로 보인다.

유인석 묘소

고능선과의 인연

김구는 묘소에 엎드려 재배한 다음 제문을 읽었다.

구九는 후조(後凋, 고능선의 호) 선생의 제자로서 일찍부터 선생을 앙모하여 만 가지 일생 가운데에도 항상 붙들고 나아감이 있었으니, 이는 곧 어려서부터 박힌 말씀 곧 '이 나라에 끼친 원수는 9대에 내려가도록 반드시 갚아야 한다九世必報'는 대의大義라. 이제 머리는 희고 살날이 오래지 않은 몸으로 고국에 돌아와 선생의 지난 앙모를 찾으니 감회가 어찌 새롭지 아니하오리까? 한 가닥 향을 피움으로써 무한한 심사를 하소하노니 영령英靈은 앞길을 가르치소서.

김구의 고유문의 원본은 기념관 안에 보관되어 있고, 원문을 오석에 새겨 비로 세웠다. 그동안 유실하지 않고 보관해 온 자손들의 애착이 놀랍다. 고유문은 김구의 친필이 아니었다. 아마도 정인보가 쓴 것으로 보인다.

김구의 사상이나 종교의 편력이 아무리 복잡하다 해도 그의 행적에 대해서는 유교 사상으로부터 이야기를 시작하지 않을 수 없다. 젊은 날에 관서의 유학자인 고능선(高能善, 1842~1922)을 만난 것이 그의 운명을 갈랐다. 김구는 자신이 그를 만난 것은 "젖을 주리던 아이가 젖엄마를 만난 것과 같다"는 말을 한 적이 있다.

고능선의 학맥은 화서학파華西學派로 이어진다. 호는 후조後凋이다. 그

유인석의 묘소에 참배하는 김구 (1948.8.17.)

는 1880년대 후반에 3년간 강원도 춘성군 가정리의 가정서사柯亭書舍에서 성재省齋 유중교柳重教에게 가르침을 받았다. 그는 화서학파 안에서 그리 두드러진 인물은 아니었다. 그 무렵 고능선은 유중교의 집안 조카인 의암 유인석을 만났다. 고능선과 유인석은 동문수학을 한 동갑내기로서 그 사이가 자별했다.

고능선이 어떤 인연으로 춘천을 찾아갔는지는 알 수 없다. 1893년, 그러니까 50세가 넘은 초로에 고능선은 안중근安重根의 아버지인 안태훈安泰勳의 초청으로 황해도 신천에 정착하여 청계동에서 학동을 가르치고 있었다. 이 무렵에 김구는 황해도 팔봉 접주로 동학농민전쟁에 참가한 뒤 안태훈의 주선으로 청계동에 피신하러 가면서 안태훈을 통하여 고능선을 만났다. 김구의 충의를 들은 고능선도 그를 각별히 아꼈다. 이때 김구는 고능선에게서 『화서아언華西雅言』과 『주자백선朱子百選』을 배웠다. 그 뒤 안태훈 일가와 종교적 문제로 갈등하다가 단발령을 계기로 고능선은 청계동을 떠났다. 고능선은 김구를 손주사위로 삼을 생각을 할 만큼 그를 사랑했으나 인연은 거기에서 그쳤다.

고능선은 김구에게 이제 청나라의 복수 전쟁이 곧 일어날 것이니 이때를 이용하여 국모를 죽인 일본에게 항전할 의병 활동을 권고하면서, "나라가 망하는 데도 신성하게 망함과 더럽게 망함이 있는데 우리나라는 더럽게 망하게 되었다"라고 말했다. 두 사람은 조국의 미래를 걱정하며 서로 붙잡고 울 때도 있었다.

유인석의 생애

유인석은 강원도 춘성군 남면 가정리에서 태어났다. 본관은 고흥이고 호는 의암이다. 이항로에게 글을 배우다가 1868년 스승이 세상을 뜨자 그의 제자인 김평묵과 오촌 당숙인 유중교를 스승으로 모시고 학문에 힘쓰는 한편, 위정척사 운동에 직접 참여하였으며, 유중교의 가르침을 이으려 제천으로 내려가 5년 동안 제자들을 가르쳤다.

유인석은 을미사변이 일어나고 단발령이 내려지자 의병을 일으켜 싸울 것을 다짐하였다. 이러한 움직임이 있자 고종은 전국에 의병을 일으켜 위기에 처한 나라를 구해야 한다는 밀지密旨를 그에게 내렸다. 유인석은 의병 사오백 명을 이끌고 단양에서 관군과 전투를 벌이며 진군하여 영월에서 의병장으로 추대되었다. 그는 1895년에 평안도를 거쳐 북상하여 만주로 망명하였다.

유인석은 서간도 일대에서 농사와 가축을 기르며 은거하다가 1897년 고종의 유지諭旨를 받고 한때 귀국하였다. 그러나 그는 1898년 가족과 뜻을 함께하는 문인 21명과 함께 다시 만주로 망명하였다. 이때 고능선도 함께 만주로 갔다. 그 뒤 고능선은 고국으로 돌아와 제천에서 객사하였다.

1910년의 망국 뒤에도 유인석은 독립운동을 계속하다가 1915년 랴오닝성 콴뎬寬甸에서 별세하여 그곳에 안장되었다. 유인석은 죽으면서 "왜놈의 나라가 된 조선에 묻지 말라"는 유언을 남겼으나 만주마저 일본의 식민지가 되자 후학들은 1935년에 그의 유해를 고향 춘천으로 옮겼다.

주일당의 주련

　　묘소에서 내려오는 길에 유인석의 생가 터가 있고, 그 아래 유중교를 모신 사당이자 사숙私塾인 주일당主一堂이 있다. 지금은 유중교만이 아니라 유인석과 유중악, 그리고 그곳을 다녀간 기념으로 김구 네 분을 모신 사당이 되었다. 유씨 문중과 기념사업회에서는 김구에 대한 감사함을 그렇게 표현했다.

───────
유중교, 유중악, 유인석, 김구를 모신 주일당

주일당의 주련柱聯을 바라보니, 이렇게 적혀 있다.

箕封疆域天同久(기봉강역천동구) 기자가 내린 이 땅은 하늘과 함께 영
원할 것이요
洪武衣冠日共華(홍무의관일공화) 주원장이 내린 의관은 태양과 함께 빛
나리라

화서 학맥의 뼛속 깊이 흐르는 중화中華가 눈길을 끈다. 지난날 안태
훈 진사가 상투를 자르고 천주학을 믿는 것을 본 고능선은 그날로 그
와 절교했다. 그 모습을 본 김구는 고능선의 처사를 달관한 것으로 여
기지 않았다. 고능선이 "중국을 존숭하고 오랑캐를 몰아내자"고 주창
할 때도 "제 소견에는 오랑캐에게 배울 것이 많고 공맹孔孟에게서 버릴
것이 많다고 생각합니다"라고 김구는 불복했다. 그랬던 그가 저 주련
을 보면 지하에서 무슨 생각을 할까?

도진순

창원대학교 사학과 교수

경북 김천 성태영 집

전북 무주 서벽정

진해 충무공 시비

진주 촉석루

김해 김수로왕릉

부산 전재민수용소

통영 한산섬, 제승당

무주의 서벽과
김천의 벽서

비밀 회동
푸르른 심산유곡에서의

問余何事棲碧山(문여하사서벽산) 묻노니, 그대는 왜 푸른 산에 사는가

笑而不答心自閑(소이부답심자한) 웃을 뿐, 답은 않고 마음이 한가롭네

桃花流水杳然去(도화유수묘연거) 복사꽃 띄워 물은 아득히 흘러가나니

別有天地非人間(별유천지비인간) 별천지 따로 있어 인간 세상 아니네

이백(李白)의 「산중문답」이다.

세상의 풍파와 늘 함께한 김구지만, 일생에서 몇 번은 대자연의 품에 깊이 안기어 신변의 위기를 벗어나고 회생한 적이 있다. 동학농민운동 패퇴 이후 1895년 황해도 청계동 안중근 집에서의 생활, 1898년 인천감옥 탈옥 이후 충청도 공주 태화산

마곡사에서 원종圓宗 스님 생활과 평양 영천암에서 걸시승乞詩僧
시절, 그다음이 환속 이후 1900년 무주와 김천에서의 산중 생
활이다.

무주는 현재 전북이고, 김천은 경북이라 멀리 떨어진 듯한 감
이 있지만, 덕유산 자락 아래 서로 맞닿아 있다. 1900년 이 심
심산중에서 한 달여 잠행한 것은 김구의 인생에서 특별한 의
미를 지닌다. 우선 김구가 무주·김천에 이르는 과정은 『백범일
지』에서 가장 흥미진진한 대목 중에 하나이다.

심산유곡의 비밀 회동

접선은 강화도에서 시작된다. 1900년 2월, 탈옥한 지 근 2년이
된 김구는 '김두래金斗來'로 이름을 바꾸고 자신을 구명하기 위해 노력
한 강화 김주경을 찾아가나, 그를 만나지 못하고 동생 진경의 집에서 3
개월 동안 아이들을 가르치는 훈장 노릇을 한다.

『백범일지』에 "개학 후 석 달이 지난 어느 날"이라 하였으니, 대
략 1900년 5~6월경인 어느 날, 김구는 유완무柳完茂라는 인물이 자
신을 열심히 추적하고 있음을 듣게 된다. 그의 본명은 유인무(柳寅茂,
1861~1909)로 김구보다 15세나 연상이다. 유완무의 진주 유씨는 부평
시천始川에 집성촌을 이루고 있어서 '시시내 유씨'로 불린다. 유완무도
부평 시시내에서 태어났으나 강화로 이사하였고, 이어서 1894년 동학

농민전쟁 이후 무주 무풍면 지동池洞으로 내려왔다고 한다.

유완무는 강화의 김주경으로부터 인천감옥의 김창수에 대해 알게 되었고 이후 구출 운동을 시작하였다. 김주경이 주로 합법적인 방법을 동원하였다면, 그 실패 과정을 알게 된 유완무는 전혀 다른 방법을 모색하였다. 즉 용감한 청년 13명을 뽑아서 모험대를 조직하여 인천항 주요 지점마다 밤중에 석유통을 지고 들어가 7, 8곳에 불을 지르고 인천감옥을 깨서 김창수를 구출해 낸다는 특공 작전이었다.

그런데 유완무의 거사 사흘 전인 1898년 양력 3월 19일 김창수가 스스로 탈옥을 하였다. 유완무의 목적이 단순히 김창수의 석방이라면 그것은 이제 실현되었다. 그러나 그는 그 이후에도 김창수를 근 2년 동안 줄기차게 추적하였다. 유완무에게는 어떤 다른 목적이 있었던 것이다.

1900년 5~6월 어느 날 김창수는 유완무의 동지인 이춘백과 동행하여 한성 공덕리 박태병의 집에서 유완무를 처음 만난다. 유완무는 "작은 키에 얼굴은 햇볕에 그을려 가무잡잡하고 망건에 검은 갓을 쓰고 의복을 검소하게 입은" 모습이었지만, 두 사람이 첫 대면에서 나눈 대화는 꽤나 인상적이다. 유완무가 "사나이 어디에서든지 만날 수 없으랴男兒何處不相逢"라며 시적詩的으로 인사하였고, 김창수는 세상에는 침소봉대針小棒大가 허다하다면서 소문과 실물이 용두사미龍頭蛇尾인 때가 많다며 자신에 대한 소문이 과장될 수 있다고 겸양을 표하였다. 유완무는 빙그레 웃으면서 "뱀의 꼬리를 붙잡고 올라가면 용의 머리를 볼 터이지요"라고 응대하였다. 첫 대면에서 작고 검소한 외모와는 달리 유완무의 내공이 만만치 않음을 느낄 수 있다.

그런데 유완무는 김창수에게 편지 한 통과 노자를 주면서 충청도 연산에 사는 이천경李天敬에게 보내고, 이천경은 한 달 이후 편지를 주면서 전북 무주의 이시발李時發에게 보내고, 이시발도 편지 한 장을 주며 경상도 김천의 성태영成泰英에게 보낸다. 이 성태영의 집에서 김창수는 한 달여 기간을 머물게 된다.

　　『백범일지』에는 성태영의 집이 "지례군 천곡"에 있다고 되어 있지만, 천곡川谷은 월곡月谷의 착오이다. 그곳은 현재 주소로 경북 김천시 부항면 월곡이며, 우리말로 '달이실'이라고 한다. 산중에 있는 아름답고 작은 이 마을에는 한가운데에 개천이 남북으로 흐르는데, 마을의 동북 지점에 성태영의 집이 있었다. 현재 성태영의 집은 없어지고, 그 후손들도 이 마을에 살고 있지 않다. 그의 집터에는 새로운 집이 들어섰지만, 입구에 '백범 김구 선생 은거지'라는 표지석이 서 있다. 1900년 여름 이 '별유천지비인간別有天地非人間'의 푸르른 산중 성태영의 집에서 탈옥 청년 김창수는 한 달 이상 여유작작하게 생활하였다.

　　성태영의 집을 찾아가니, 택호가 성원주成原州란 집이었다. 태영의 조부가 원주原州 목사牧使를 지냈다 한다. 사랑에 들어가니 수청방 상노방에 하인이 수십 명이고, 사랑에 앉은 사람들도 거의 귀족의 풍채와 태도를 가진 자들이었다. 주인 태영이 [이시발의] 편지를 보고 환영하여 상객으로 대우하니, 상노 등이 더욱 존경하는 태도로 나를 대하였다. 성태영의 자는 능하能河요, 호는 일주一舟이다. 그와 함께 산에 올라 나물 캐고 물가에 가서 고기 구경하는 등 여유로운 생활을 해 가며 고금

김천 달이실 마을 백범 김구 선생 은거지

의 역사를 토론하면서 또 한 달여를 지냈다. (『백범일지』 174쪽)

『백범일지』에서 "성태영의 집에서 한 달간 생활 이후 어느 날"이라 하였으니, 대략 1900년 5~6월 강화를 떠난 지 3개월 정도 지난 8월 전후 어느 날, 유완무가 성태영의 집에 와서 3자가 회동한다.

이때 김창수의 이름을 '김구金龜'로 바꾸고, 호를 '연하蓮下'로 지어 준다. 그다음 날 유완무는 김구를 무주의 자신의 집으로 데리고 온다. 성태영의 집에서 부항령을 넘으면 바로 무주 무풍면인데, 그곳 지동마을에 유완무의 집이 있었고, 인근 지성리에 이시발의 집이 있었다. 현재에는 부항령 아래 삼도봉터널이 뚫려 무주와 김천은 더욱 가까워졌다. 유완무는 무주 자신의 집에서 그간의 비밀 프로젝트에 대해 이야기해 준다.

①연산連山 이천경이나 지례知禮 성태영이 다 내 동지인데, 우리는 새로 동지가 생겼을 적에 반드시 몇 군데를 돌아다니며 1개월씩 함께 지낸다오. 그리하여 각자 관찰한 바와 시험한 것을 모두 모아서 어떤 사업에 적당한 자질이 있는지를 판정하여, 벼슬살이에 적당한 자는 자리를 주선하고 상업이나 농사에 적당한 인재는 상농으로 인도하여 종사케 하는 것이 우리 동지들의 규정이오.

②연하連下는 동지들이 시험한 결과, 아직 학식이 얕고 부족하니 공부를 더 하되, 경성 방면의 동지들이 전적으로 맡아 어느 정도 수준을 이루도록 할 것이오.

③연하의 출신이 상인常人 계급이니 불가불 신분부터 양반에게 눌리지 않도록 만드는 것을 급선무로 삼아, 지금 연산 이천경이 소유하고 있는 가택과 논밭, 그리고 가구 전부를 그대로 연하의 부모가 생활하는 데 사용할 수 있도록 제공하려 하오. 그 고을의 큰 성씨 몇몇만 잘 단속하면 족히 양반의 생활을 할 수 있을 것이오. 연하는 경성에서 유학하면서 잠깐씩 부모님 얼굴이나 뵙게 할 터이니, 곧 고향으로 가서 오는 2월까지 부모님 몸만 모시고 서울로 오시오. 서울서 연산까지 가는 길은 내가 알아서 하겠소이다. (『백범일지』 174~175쪽) [번호는 필자가 넣음]

①그간 유완무가 여러 동지들의 집으로 김창수를 보내 함께 지내게 한 것은 모종의 비밀결사 같은 그들의 조직 성원으로 입문시키기 위한 과정이며, ②연하蓮下, 즉 김구金龜를 관찰한 결과 학식이 부족하기 때문에 경성의 동지들이 교육을 시킬 예정이며, ③김구의 출신이 평민이니 양반에게 눌리지 않게, 김구의 부모님도 연산으로 와서 양반식 생활을 하게 해 준다는 것이다.

이상의 언급에서 알 수 있듯이 당시 유완무는 전국적인 비밀 조직을 조직하거나 하려고 했던 것으로 보인다. 같이 무주에 살고 있는 이시발이 최측근이라 할 수 있는데, 그가 남긴『간설유고』에 수록된「백초 유완무전」에 의하면 유완무는 나라를 구하기 위해 동분서주하면서 집과 처자를 이시발에게 부탁하고, "사방으로 다니면서 비분강개하고 절개 있는 선비를 들으면 원근의 거리를 따지지 않고 그를 찾아갔다"고 한다.

유완무 일행의 비밀 조직원 중에서『백범일지』에 등장한 인물만 보면 서울·경기 지역에는 이춘백, 박태병, 주윤호 등이 있고, 삼남 지역에는 충청도 연산의 이천경, 전라도 무주의 유완무와 이시발, 경상도 김천 월곡의 성태영 등이다. 생년이 확인되는 사람들로는 김구보다 이시발이 21세, 유완무가 15세, 성태영이 9세 각각 연상이며, 유완무의 제자라는 강화의 주윤호 진사는 1877년생으로 김구보다 1살 아래다.

이로써 짐작건대 유완무의 비밀결사에는 인천감옥을 폭파하려 했던 용감한 청년 13명의 모험대와 유사한 실천 위주의 젊은 그룹이 있었던 것으로 보인다. 김구나 주윤호는 이 그룹에 속한다고 할 수 있다.

그 위에 이를 지휘 또는 후원하는 30대 중반 이상, 위의 인물로는 성태영 이상 이시발 이하의 시니어 그룹이 있었던 듯하다.

그중 젊은 그룹은 신라의 화랑에 비견될 수 있었다고 생각된다. 무주 무풍면의 사선암四仙巖이라는 바위에는 1931년 이시발이 새긴 네 신선 같은 선비의 이름이 남아 있는데, 당시 글씨를 새기면서 고한 글 「각자시고유문刻字時告由文」에 화랑을 언급하고 있다.

> 화랑도의 훈련정신은 도의道義로써 서로 연마하고 노래와 음악으로써 서로 즐기며, 산수山水에서 지내기를 즐겨 하여 아무리 멀어도 이르지 않은 것이 없었으니, 이름난 산을 넘고 강을 건너면서 소요하였다.
>
> (『적성지』(지) 356쪽)

유완무가 주도한 비밀 조직은 전국에 산재한 점조직에 가까웠던 것으로, 대중노선과는 달리 지사형 개인에 의존하는 방식이라 할 수 있다. 이 비밀 조직에서는 행동을 중심하는 청년 그룹이 있었던 것으로 보이며, 유완무는 쓰치다를 살해한 김구를 이 청년 그룹에 적합한 인물로 낙점하여 여러 동지들과 더불어 생활하게 하면서 여러 면을 두루 점검하였던 것이다. 그 결과 김구를 그들 조직에 합당한 청년 지사志士로 훈육하기로 결정하였던 것이다.

무주의 서벽

1900년 당시 유완무가 주도하는 비밀 조직의 이념적 지향은 무엇이었을까? 이것이 조직의 성격을 이해하는 가장 중요한 기초가 된다. 그런데 유완무가 집과 처자를 부탁한 무주의 이시발이 1902년 3월 10일에 쓴 편지가 충남대학교 도서관에 남아 있다. 편지의 수신인은 미상 未詳으로 알려져 있지만, 내용을 독파해 보면 수신자를 특정할 수 있다.

중화中華가 망한 뒤에 전장典章과 문물文物이 우리 동방에 있음은 마치 주周나라 말기에 예약禮樂이 노魯나라에 있는 것과 같습니다. 선생께서 은둔하신 이후 한 가닥 양맥一線陽脉이 홀로 서벽일대棲碧一區에 있나니, 봄가을의 강회講會가 실로 세상을 깨우치는 목탁이 되었으니, 우리 무

이시발의 간찰. 충남대학교 도서관 소장

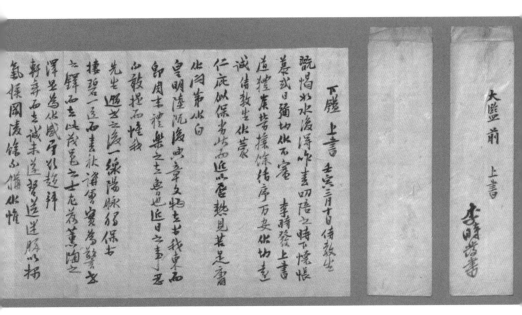

주의 선비들은 더욱 크게 교화 훈육의 은혜를 입으니 엎드려 감사드
립니다.(皇明陸沈後 典章文物 在於我東而 卽周末禮樂之在魯也 近日之事 忍不
敢提 而惟我先生 遜世之後 一線陽脉 獨保於棲碧一區 而春秋講會 實爲警世之鐸
而在此茂邑之士 尤荷薰陶薰陶之澤 是爲伏感)

이것은 이시발이 어떤 스승에 대해 감사의 인사를 전하는 간찰이다.
김구가 청계동에 은거할 때 스승 후조後彫 고능선(高能善, 1842~1922)이
"한 가닥 밝은 맥一線陽脉이 오직 우리나라에만 남아 있다"라고 한 바 있는
데, 이시발은 그 한 가닥 밝은 맥이 우리나라에서도 수신자인 어떤 선생
님이 가르침의 장을 열었던 '서벽棲碧' 일대에 남아 있다고 특정하였다.

여기서 우리는 이 서신의 수신자가 고능선보다 6살 선배인 송병선
(宋秉璿, 1836~1905)임을 알 수 있다. 송병선은 우암 송시열의 9세손이
며, 호는 중화문명의 옥, '화옥華玉'이다. 그는 1884년 의복개혁衣制變改
에 극력 반대하는 상소를 올렸으나 받아들여지지 않자, 1886년 무주
설천면 무이산武夷山 횡천 계곡 가에 서벽정棲碧亭을 짓고 도학을 강론하
는 일에만 몰두하였다. 을사늑약 이후인 1905년 음력 12월 30일, 그는
고종황제와 국민과 유생들에게 유서를 남겨 놓고 자결하였다.

이시발이 간찰에서 언급한 서벽은 바로 송병선의 서벽정을 말한다.
서벽정은 정면 4칸, 측면 2칸 규모의 겹처마 팔작집으로 전라북도 기
념물 제80호이다. 이 일대는 주자朱子의 무이구곡武夷九曲에 빗대어 '무
계구곡武溪九曲'이라 하는데, 서벽정은 제4곡인 일사대一士臺에 위치한
다. 4곡의 원래 이름은 수성대水城臺였는데, 송병선이 이곳에 정자를 짓

고 후진을 양성하면서 세상을 버리고 홀로 우뚝 선 바위를 자신의 모습으로 삼아 '일사대一士臺'라 불렀으며, 자신을 '동방에 하나밖에 없는 선비', '동방일사東邦一士'라고 불렀다. 무계구곡의 제4곡 일사대는 현재의 안내판에서는 구천동 33경의 6경으로 소개되어 있다.

김천의 벽서

별천지의 푸르른 산에 사는 이백의 '서벽'이 무주의 서벽정에 이르러서는 일제 주도의 개화를 반대하고 풍진 세상을 바로잡는 도맥道脈의 기지로 변용되었다. 나아가 이시발은 이러한 심산유곡에서 화랑도의 단련을 연모하고 기리었다. 푸르른 산에 사는 서벽棲碧이 음풍농월이 아니라 지사의 도학 연마로 바뀐 것이다.

탈옥한 청년 김창수를 추적하고 동지로 훈련시키는 프로젝트를 주도한 것은 무주의 유완무이지만, 김구가 최종적으로 오래 머문 곳은 김천의 성태영 집이었다. 김구는 성태영의 자가 능하能河요, 호를 일주一舟라 하였지만, 성씨 족보에 의하면 자는 순칠順七이며, 능하는 호로 되어 있다. 족보에는 그의 일생을 "천성활달天性豁達 선서유문명善書有文名 항일옥고抗日獄苦 백범교류白凡交友"라 하여 항일운동 및 김구와의 인연을 특별히 강조하였다. 그는 1900년 탈옥수 김창수를 만날 당시 이미 유완무와 함께 비밀결사를 조직하고 후원자가 되었으며, 1905년 전후 유완무가 북간도에 독립운동 근거지를 개척할 때에도 적극 후원하였다.

성태영이 사는 김천은 성주와도 연접하여, 인근 성주군 대가면 칠봉리에 파리장서운동을 주도한 심산心山 김창숙(金昌淑, 1879~1962)의 생가가 있다. 김창숙의 회상에 의하면 1919년 경성의 3·1운동 준비 과정을 편지로 그에게 전했던 사람이 바로 성태영이었다. 그러나 김창숙이 어머니 병환으로 바로 떠나지 못하고 서울에 늦게 도착하니, 성태영이 "자네 왜 이제 오는가. 3월 1일에 조선독립선언서를 발표할 참인데 자네는 서명할 기회를 벌써 놓쳤으니 안타깝네"라고 하였고, 이 부끄러움을 씻기 위해 김창숙은 파리평화회의에 유림 대표를 파견하여 독립을 호소하자고 발의하였다. 이처럼 성태영은 파리장서운동의 시발부터 관여하였으며, 진행 과정에서도 중추적인 역할을 담당하였다.

그런데 심산 김창숙은 성태영을 늘 '벽서장碧棲丈'이라고 호칭하였다. '장丈'은 성태영이 12살 연상이라 붙인 것이니, 김창숙은 성태영의 호를 '벽서碧棲'라 부른 것이다. '벽서碧棲', 이것 역시 푸르른 산에 산다는 '서벽棲碧'과 같은 의미이니, 여기서는 별천지의 음풍농월이 아니라 풍진세상을 바로잡는 도맥道脈을 상징한다. 그러니 김구가 성태영과 함께 "산에 올라 나물 캐고 물가에 가서 고기 구경하는 등 여유로운 생활을 해 가며 고금의 역사를 토론하면서 지냈다"는 한 달여의 생활도 단순한 음풍농월이 아니었을 것이다. 그것은 화랑과 같은 모종의 비밀결사에 새로운 신진기예로서 발탁되는 과정이었다.

그러나 유완무와 성태영의 '김구金龜 지사 만들기 프로젝트'는 1900년 12월 9일(양력 1901.1.28.) 김구의 아버지가 돌아가심으로 중단되었다. 김구는 아버지가 연천에서 양반 생활을 해 보지 못하고 돌아가신 것을 "천고에 남을 한"이라고 아쉬워하였다.

김천 달이실 마을

거북이, 연꽃 아래 잠행하다

김창수가 김천 월곡(달이실) 성태영의 집에 머물던 1900년 여름 어느 날, 유완무가 찾아와서 3자가 회동하였다. 이 자리에서 다음의 결정이 있었다.

조금 누락된 것이 있다. 창수昌洙라는 이름이 쓰기 매우 불편하다 하여 성태영과 유완무가 이름을 고쳐 지어 주었다. 이름은 김구金龜라 하고, 호는 연하蓮下, 자는 연상蓮上으로 행세하기로 하였다. (『백범일지』 174쪽)

"조금 누락된 것이 있다"고 지나가듯 서술하였지만, 이름을 고치고 호를 얻는 것은 의미심장하고도 중요한 결정이다. 먼저 개명의 이유는 창수라는 이름이 "쓰기 매우 불편하다"는 것이다. 여기서 불편한 이유를 구체적으로 설명하고 있지 않지만, 김창수란 이름이 치하포사건과 인천감옥 탈옥사건의 범인으로 등재되어 있기 때문에 앞으로 새로운 활동을 하는 데 매우 불편할 수 있으므로 개명의 충분한 이유가 된다.

달이실 마을

그렇다면 왜 하필 '거북 구龜'인가? 필자는 2017년 4월 7일, 김구金龜라는 이름이 결정된 성태영의 집이 있었던 김천시 부항면 월곡리에 찾아갔다. 심심산중의 이 월곡마을에 김구 관련 기념비가 세 군데나 있었다. 마을 입구 월곡숲공원에는「백범김구선생은거기념비」가 있으며, 마을회관에는 마을의 수호신인 두꺼비상이 있는데 그 안내문에도 김구가 언급되어 있고, 성태영의 집터에는 '백범 김구 선생 은거지'라는 안내석이 있다.

그중에서 마을회관 앞에는 연꽃 위의 두꺼비상이 있고, 그 아래에 '월곡 마을의 유래와 자랑'이 기재되어 있는데 김구와 관련된 내용은 아래와 같다.

… 월곡 또는 달이실이라는 마을의 지명은 마을 중앙을 관류하는 하천변에 떠오르는 달을 쳐다보는 두꺼비 형상의 바위가 있음으로 해서

연꽃 위의 두꺼비상

도로에 묻힌 거북바위

얻은 지명인데, 예부터 마을 주민들은 바위가 마을의 안위를 지켜 주는 수호신이라 하여 신령시했다. … 특히 달이실 마을은 민족의 등불이신 백범 김구 선생이 22세 되던 해인 1896년 우리 마을 성태영의 집에 한 달간 머무르신 자랑스러운 마을이다.

백범이 월곡에 머문 시기는 안내문의 "22세 되던 해인 1896년"이 아니라, "25세 되던 1900년"이다. 안내문에서 연꽃 위에 있는 동물을 '두꺼비'라고 부르고 있지만, 이 마을 전설에서는 대부분 '거북이'라고 부르고 있다. 즉 달을 바라보는 거북 형상의 바위가 마을의 수호신이라는 것이다. 현재 이 거북바위는 안타깝게도 대부분 도로 밑으로 들어갔지만, 머리 등 앞부분 일부가 남아 있다.

1900년 여름 어느 날, 성태영과 유완무는 마을의 수호신인 거북바위 건너 성태영의 집에서 탈옥수 김창수의 이름을 '김구金龜', 즉 '거북이'로 개명해 주었다. 거북바위가 달이실 마을을 지키듯이, 무너지는 나라를 지키는 인물이 되기를 기대하면서 김창수의 이름을 이렇게 개명한 것이 아닌가 생각된다.

거북이와 연상·연하

달이실 성태영의 집에서 '김구'로의 개명과 더불어 호를 '연하蓮下', 자를 '연상蓮上'으로 정했다. 김구는 상민 출신으로 호나 자가 없었으니, 이것이 그의 인생에서 최초의 호와 자가 되는 것이다. 누가 정한 것인지 불분명하지만, 양반적 자호字號 문화에 익숙한 유완무와 성태영이 주도했을 것이다.

그렇다면 호와 자에 왜 연蓮이 등장하는가? 김구는 1914년 자신의 호를 '연하蓮下'에서 '백범白凡'으로 바꾸면서 "우리나라 하등사회下等社會 곧 백정범부白丁凡夫들이라도 애국심이 현재 내 정도는 되어야 완전한 독립국민이 될 수 있다"는 희망 때문이었다고 밝힌 바 있다. 이처럼 백정범부의 하등 사회를 의미하기 때문에 백범으로 호를 고쳤다고 하니, 그 이전의 호와 자인 연하蓮下·연상蓮上은 하등 사회와 반대인 상등 사회의 양반·귀족적 이미지와 모종의 관련이 있을 수 있다.

거북이 연꽃 또는 연잎 위에 있는 것은 지극한 상서로움을 상징한다. 『사기史記』의 「귀책열전龜策列傳」에 "거북은 천년토록 연잎 위에 노닌

청자연상거북주자

다龜千歲乃遊蓮葉之上"라는 구절도 그러하거니와, 이백이 「고숙십영姑熟十詠」에서 "거북이는 연잎 위에서 놀고龜遊蓮葉上"라는 구절도 천수를 누리는 상서로운 삶을 표현한 것이다. 연꽃 위 거북의 상서로운 모습인 주자注子는 국보 제96호, 보물 452호가 각각 있을 정도로 아름답고 고귀한 모습이다. 월곡의 거북바위 앞에도 연잎 또는 연꽃 모양의 바위가 있으며, 마을회관의 두꺼비상도 연꽃 위에 있는 형국이다.

연잎이나 연꽃 위의 거북이는 지극히 상서로운 것이지만, 난세에는 거북이 잡힐 수가 있다. 『장자莊子』에 보면 장자가 낚시를 하고 있을 때 초왕楚王의 사자使者 두 사람이 와서 정치를 맡아 달라는 왕의 부탁을 전한다. 장자가 낚싯대를 손에 쥔 채 돌아보지도 않은 채 "내가 듣자니, 초나라에는 거북점에 사용된 신통한 거북이가 죽은 지가 3000년이나 되었는데도 초왕이 이것을 천에 싸서 상자에 넣어 묘당廟堂에 간직하고 있다고 한다. 그런데 이 거북은 죽어서 뼈를 남기어 귀중하게 되기를 바라겠는가, 아니면 살아서 진흙 속에 꼬리를 끌고 다니기를 바라겠는가?" 하고 물으니, 두 사자가 "차라리 살아서 진흙 속에 꼬리를 끌고 다니기를 바랄 것이다"라고 대답하였다. 그러자 장자가 "돌아갈지어다. 나는 진흙 속에 꼬리를 끌고 다니련다" 하였다.

장자는 죽어서 좋은 대접을 받는 것보다 살아남는 것이 거북에게 더 중요하다고 한 것이다. 거북이가 연꽃이나 연잎 위에 올라오면 지극히 상서로운 일이지만, 난세에는 거북이가 연잎 아래 진흙 속에 꼬리를 끌면서 잠행하는 것이 필요하다. 반일지사 유학자인 이남규(李南珪, 1855~1907)는 당시의 난세를 맞이하여 연잎에 오르길 꺼리는 거북을 노래한 바 있다.

玄龜出丹水(현구출단수) 단수에 사는 현묘한 거북은
老骨靈以通(노골영이통) 늙은 귀각이 영통하다네
蓮葉堪棲托(연엽감서탁) 연잎 위에도 오를 수 있지만
但恐遇寒風(단공우한풍) 차가운 바람을 만날까 그것이 두려워라

이 시가 마치 시참詩讖인 듯 예언이 되어, 이남규는 의병과 관련 있다 하여 1907년 공주옥에 투옥되었다가 며칠 뒤 온양 평촌 냇가에서 아들 이충구와 함께 피살되었다.

1900년 여름 어느 날, 유완무와 성태영은 탈옥수 김창수의 이름을 구龜, 호를 연하蓮下로 지어 주었다. 난세인 풍진세상에서는 연잎 밑을 잠행하지만, 언젠가는 연꽃 위에 올라오는 거북이 되기를 염원하면서.

김창수는 이날부터 김구金龜·연하蓮下로 불리다가, 1914년 서대문감옥에서 이름을 구九로, 호를 백범白凡으로 바꾸게 된다. 그러니까 25~39세까지 청장년기 15년 가까이 김구金龜라는 이름으로 결혼도 하고, 항일 애국계몽운동을 왕성하게 전개하였다. 1909년 김구는 안중근의거 이후 체포되었는데, 그때 그는 일제가 작성한 『김구金龜』라는 100여 쪽의 책자를 본 적이 있다고 소개한 바 있다.

검사는 『김구金龜』라고 쓴 100여 쪽의 책자를 내놓고 신문했다. 그 책은 내가 수년간 각 지방을 돌아다니며 일본 관헌과 반목한 것에 대한

경찰의 보고를 모은 것이었다.

이렇게 일제는 연꽃 아래를 잠행하던 거북이 김구를 추적하고 있었고, 1911년 1월 김구는 안악사건으로 체포되어 김구金龜라는 이름으로 15년 형을 언도받았다.

1912년 메이지 천황이, 이어서 1914년 황후가 연이어 죽자, 김구는 5년으로 감형되어 다시 세상에 나갈 희망을 가지게 된다. 이때 이름과 호를 다시 고쳤다. 호를 바꾼 것은 앞서 설명하였거니와, 이름을 구龜에서 구九로 바꾼 이유는 "왜의 민적民籍에서 벗어나"기 위한 것이었다. 즉 안악사건 등 사건에 연루되는 것을 피하고자 개명하면서 발음은 '구'를 유지하였다. 그러니 우리에게 익숙한 '김구金九'라는 최후의 이름도 1900년 성태영의 집에서 결정된 '김구金龜'에서 비롯되었다고 할 수 있다.

김구金龜-연蓮의 이미지는 영웅적 지사를 상징한다. 이러한 지사적 운동 방식은 김구金九-백범白凡으로 불리던 이후에도 상당 기간 강하게 남아 있었다. 김구는 1931년 일본 요인 암살을 목적으로 한인애국단을 창단하였고, 이듬해 이봉창과 윤봉길의 의거가 있었다. 두 의거는 임시정부를 회생시켰으며, 김구를 독립운동의 영수로 부상시켰다. 이 두 의거야말로 거북이같이 고결한 지사 개인에 의존하는 방식이라 할 수 있다.

이별과 죽음

유완무와 성태영의 '김구 지사 만들기 프로젝트'는 1900년 12월 9 일 김구의 부친이 돌아가심으로 중단되었다. 김구는 유완무와 성태영에 게 부고를 하였고, 당시 경성에 체류 중이었던 성태영은 500여 리 길을 말을 타고 달려와 조문을 하고 위로해 주었다. 며칠 후 김구와 성태영은 구월산 쪽으로 이동하여 동학농민전쟁 당시 김구의 옛 동지들을 만나 닭 잡고 기장밥 먹으면서 회포도 풀고, 구월산도 유람하였다(『백범일지』182쪽).

한편 유완무는 문상을 오지 않았다. 김구를 2년이나 추적하여 찾아 내고 동지들의 집으로 다니게 하면서 시험했던 그가 김구의 부친상에 문상하지 않았던 것은 다소 의아하지만, 아마도 민족운동으로 매우 분 주하였던 듯하다. 김구가 유완무와 다시 만나게 된 것은 부친상 탈상 이후 장연 사직동에 머무를 때인 1903~1904년이다. 이때에 간도 문 제가 중요한 안건으로 논의되었다.

> 사직동에서 근 두 해를 거주하는 사이에 겪은 것을 대략 열거하면, 유 완무가 주윤호 진사와 함께 친히 방문하여 여러 날 머물렀는데, 자기는 "종전에 관리사 서상무徐相茂와 북간도에 가서 장래의 발전을 계획하고 왔다"는 것이었다. 그는 "잠시 국내에 돌아와 동지들과 방침을 협의한 후 곧 북간도로 가겠다"고 하며 며칠 머물렀다. 유완무·주윤호와 나 세 사람은, 어머님이 삶아 주신 밤과 닭고기도 먹으면서 연일 밤을 새워 품은 생각을 털어놓고 여러 가지 일을 토의하였다. (『백범일지』191쪽)

여기서 서상무徐相茂는 서상무(徐相懋, 1856~1925)이다. 청일전쟁 이후 조선은 간도 문제에 적극적으로 임하였고, 1902년 서상무를 서변계관리사西邊界管理使로 임명해 서간도의 조선인을 보호하도록 하였다. 따라서 위의 언급에서 북간도는 서간도가 타당할 것이다. 1902년 음력 8월 서상무는 청국의 향마적에게 피랍되기도 하였다. 1903년 3월부터 청국 정부는 서상무의 소환을 요구하였고, 조선정부는 1904년 1월 그를 소환하였다.

한편, 1902~1903년경 유완무도 요서 지방과 서간도 지역에 있었다. 그는 간도 영토사와 관련하여 중요한 저작인 김노규(金魯奎, 1846~1904)의 『북여요선北輿要選』 서문에서 그 구체적인 행로를 기록하였다.

> 지난 임인년壬寅年(1902) 여름에 내[유완무]가 요서遼西 지역을 유람하면서 산천을 살펴보고 사지史誌를 뽑아 보니, 탕하湯河 남쪽, 압록강 북쪽은 옛날 우리 땅임이 분명하다. 계묘년癸卯年[1903년] 봄에 다시 간도에 들어가 오재영吳在英 군과 함께 간도 전 지역을 돌아 남으로 두만을 거슬러 북으로 선춘령先春嶺에 이르고 서로 백두에 오르고 동으로 해항海港에 갔다. 아민我民이 간도에 거주하는 자가 7~8만 호에 이르고 수풀 사이에 집들이 연이어 서로 마주 보고 있었다. 청국인의 침탈과 위협이 날로 심하여 가는 곳마다 근심과 참혹함이 있었다. (『북여요선』 서문)

그러니까 유완무가 서상무를 만난 것은 1903년 봄으로 추정되며, 그 이후 국내로 돌아오면서 장연에서 김구와 만난 것으로 보인다. 이

회동에서 "연일 밤을 새워 품은 생각을 털어놓고" 토론한 여러 가지 가운데 가장 중요한 것이 간도 문제였을 것으로 보인다. 독립운동가들이 간도 해외 근거지 구축 계획을 구체적으로 논의했던 것이 1905년 을사늑약 이후인데, 유완무는 상당히 일찍이 간도에 주목하였던 것이다.

1903년 장연 회동에서 유완무는 서상무와 협의한 간도 대책을 전하고, 해외 근거지 마련을 위해 국내 동지들과 협의하고 다시 간도로 갈 계획을 이야기하면서 김구의 동참도 제의했을 것이다. 그러나 김구는 부친상을 마치고 난 이후 기독교에 입교하며 애국계몽운동에 열정적으로 투신하였다. 이제 김구의 길은 유완무, 성태영의 유교적 지사형의 운동과 일정한 괴리가 생기기 시작했다. 김구에게는 간도보다 조선에 거주하는 2세 교육이 더 급선무였을 것이다. 이것이 김구와 유완무의 마지막 만남이었다.

유완무는 1905년 을사늑약 이후 아들과 부인을 데리고 북간도로 망명하였다. 이후에도 국내에 내왕한 흔적은 있었지만, 김구와는 다시 만나지 못하였다. 1906년 초여름 경성에서 이회영, 이상설, 이동녕 등이 독립운동의 방략을 논의하는 모임이 있었는데, 유완무도 그 모임에 참석하였다. 또한 그는 1906년 간도 용정촌에 서전서숙을 설립하였을 때 참여하였으며, 1908년 성주의 유학자 이승희李承熙가 연해주로 망명할 때 블라디보스토크까지 안내하기도 했다.

1910년 경성 양기탁(梁起鐸, 1871~1938)의 집에서 열린 비밀회의에 김구가 참여하는데, 이 회의에서 "만주에 이민 계획을 실시할 것과 무관학교를 설립하고 장교를 양성하여 광복 전쟁을 일으킬 것" "이를 준비하기 위해 이동녕을 먼저 만주에 파송"할 것 등도 결정하였다고 한다. 이러한 결정은 유완무도 참여한 1906년 회의의 연장선상에 있지만 그는 이 자리에 없었다. 그는 1909년 2월 24일 간도에서 어느 흉한에 의해 피살되어, 이미 이 세상 사람이 아니었다. 암살의 배후는 북간도 관리사로 파견된 이범윤으로 알려지고 있다. 1928년 김구는 상하이에서 『백범일지』 상권 집필을 마무리하면서 유완무가 북간도에서 피살되었으며, 그의 아들 한경漢卿은 아직 북간도에서 살고 있다는 소식을 남겼다.

한편, 1900년 말 김구의 부친상에 문상하였던 성태영도 이후 김구와 만났다는 기록이 없다. 김구는 1919년 3·1운동 직후 상하이로 망명하여 임시정부에 참여하였고, 성태영은 국내에서 파리장서운동을 후원하였다. 이후 성태영은 만주로 가서 활동하기도 하였다. 1923년 8월 남만주 반석현에서 창립된 한족노동당에 중앙의사위원회 위원으로 참여하였고, 1933년에는 만주 길림에서 한인들의 흥업계興農稧를 발기하는 등 한인촌 건설에 활동한 흔적이 남아 있다.

김구는 상하이에서 『백범일지』 상권을 마무리하면서 "성태영은 그간 길림에 내왕하였으므로 통신을 하였다"고 밝히고 있고, 성씨 족보에는 성태영의 이름 옆에 '백범교우白凡交友'라고 특별히 기록하였다. 1949년 6월 26일 74세의 김구가 암살되었고, 그로부터 두 달이 채 되지 않는 8월 20일 성태영이 사망하였다. 해방 이후에도 이들이 서로 만났다는 기록은 없다. 그러나 젊은 시절 심산유곡에 잠행하면서 맺은 아름답고 귀한 인연은 저 푸르른 산과 아름다운 연꽃 속 어딘가에 남아 있을 것이다.

부산 전재민수용소

남도 순방과

김구는 1946년 9월 14일부터 10월 4일까지 대략 3주일 동안 경상남도와 전라도 일대를 순방하였다. 김구가 귀국한 지 1년 가까이 되어 가는 시기이며, 서울에서 반탁투쟁 등 정치적 대파란을 겪고 난 이후 새로운 판세가 짜여지던 매우 중요한 시기였다.

이 중요한 시기에 김구는 왜 장기간 남도를 방문하였을까? 김구는 48년 전인 1898년 3월 탈옥한 이후 23세의 청년으로 남도 지방으로 도피하였으며, 그해 늦가을 결국 마곡사에서 승려가 된다. 해방 이후 추가한 『백범일지』의 해당 부분을 보면, 1946년 9월의 남도 순방은 임시정부의 주석으로 귀국한 김구

가 젊은 날 탈옥수로 도피했던 연고지를 찾아가는 역사 기행이
나 추억 여행처럼 보인다.

그러나 1946년 9월 김구의 남도 순방을 찬찬히 들여다보면 그
것은 50년 전 개인의 흔적을 더듬는 추억 여행이 아니었으며,
임시정부를 선전하려는 목적도 아니었다. 당시 김구는 과도입
법의원 선거를 앞두고 있었고 정치적으로 매우 분주한 시기였
다. 1946년 9월 김구의 남도 순방을 제대로 이해하기 위해서
는 1945년 11월 23일 귀국 이후부터 당시까지 김구에게 무슨
일이 일어났는지 이해하는 것이 필요하다.

서울에서의 전투

1945년 11월 23일 김구는 임시정부 요인들과 함께 귀국하였
다. 비록 미군정으로부터 정부로 인정받지 못하고 개인 자격으로 귀국
하였지만, 김구는 임시정부를 중심으로 하는 건국, 이른바 '임정법통
론'을 철저하게 견지하고 있었다.

임정(대한민국임시정부, 이하 '임정')에게 기회인 듯한 위기는 1946년
새해 정초부터 찾아왔다. 1945년 말 『동아일보』는 「모스크바삼상회의
의 결정서」를 보도하였다. 결정서의 제1조는 조선에 "임시 민주주의
정부를 수립"한다는 것이었고, 3조는 이에 대한 미·영·소·중 네 나라
의 후원 또는 신탁 문제였다. 임정은 새로운 임시정부 수립을 위한 신

탁에 적극 반대하여, '신탁통치반대국민총동원위원회(이하 '반탁위원회')'의 결성과 반탁운동을 주도하였다. 반탁위원회는 「행동강령」에서 '임정의 절대 수호'와 '외국군정의 철폐'를 주창하였고, 임정은 「국자國字」 제1호, 제2호 등의 포고문을 통해 미군정으로부터 정권 접수를 선언하였다. 당시 서울 시내 경찰서장 10명 중 8명이 "현재 전국 군정청 소속 경찰과 한인 직원은 전부 본 임시정부의 지휘하에 예속"된다는 임시정부의 「포고」에 응하였다.

미군정은 임정의 정권 접수 움직임에는 단호하게 대처하였다. 1946년 1월 1일, 하지John Reed Hodge 미군정 사령관은 김구를 불러 임시정부식 반탁운동을 '미군정에 대한 쿠데타'로 규정하며 강력하게 경고하였다. 결국 김구는 그날 밤 반탁운동이 결코 미군정을 반대하는 것이 아니라고 천명하고 시위와 파업을 중지할 것을 호소하였다. 하지와 김구의 정초 회동으로 임정의 권력 접수는 실패하였다.

임정은 정권 접수라는 임정법통론의 1단계는 실패하였지만, 김구는 2단계로 임정 중심으로 과도정부를 수립하기 위한 대의체 조직을 추진하였다. 1946년 1월 4일, 김구는 비상정치회의를 소집하여 과도정권을 수립한다는 '당면 비상대책'을 발표하였다. 그런데 비상정치회의에 이승만과 독립촉성중앙협의회가 합류하여, 1946년 2월 1일 '비상국민회의'가 결성되었다. 더욱이 비상국민회의의 최고정무위원 28명은 미군정의 자문기구인 '남조선대한국민대표민주의원'(이하 '민주의원')이 되어 버렸다.

결국 1946년 상반기 김구의 임정법통론은 이승만을 중심으로 하는 미군정 자문행정기구인 민주의원으로 귀결되었다. 이것은 미군정청에서 마련한 제1차 미소공동위원회에 대한 대처이기도 했다. 김구가 주도한 비상국민회의는 탄생과 동시에 사실상 소멸해야 했고 여기에서 '임정에 의한 임정의 해체'가 발생하게 된 것이다. 민주의원 성립에 대해 김성숙이 '오호! 임정 30년 만에 해산하다', 조소앙이 '임정은 분산되고 독립운동은 낙제를 하게 되었다'고 한탄하였다. 이리하여 사실상 임정은 해체되었고, 서울에서 정치적 지위는 이승만, 김구로 순으로 정비되었다.

평양과의 전투

한편 북에서는 1946년 2월 8일 김일성이 주도하는 '북조선 임시인민위원회北朝鮮臨時人民委員會'가 설립되었다. 임시정부 측에서는 1945년 말 모스크바삼상회의의 임시정부 수립을 반대하였듯이, 1946년 상반기에는 북의 '임시인민위원회'에 대해서도 몹시 예민하게 대응하였다. 모스크바삼상회의의 새로운 '임시정부 수립'이란 조항도 그러하거니와, 북한 지역의 임시인민위원회라는 준국가기구의 출범은 유일 정부의 대표성을 주장하던 김구와 임시정부의 권위를 손상시키기 때문이었다.

이러한 맥락에서 1946년 초반 임정 주도의 우익진영은 반탁운동과 반인민위원회 운동의 일환으로 운동원을 파견하는 '대북타격정책'을 실행하였다. 이러한 타격정책에는 이승만도 관여하였지만, 김구와 신익희를 추종하는 임정계가 주도하였다. 1946년 1월 백시영, 강응용 등이 임정의 반탁포고문을 가지고 월북하였으며, 반탁학련에서 윤한구, 최중하 등으로 구성된 '대북반탁공작대' 7명은 북한으로 가서 조만식을 만나고, 반탁결의문에 서명을 받아 와 반탁국민총동원위원회에 전달하기도 하였다.

북한의 임시인민위원회 성립 직후 대북공작은 북한 요인 암살로 이어졌다. 그 대표적인 사례가 1946년 3월 초 백의사결사대의 '북한 임시인민위원회 지도자 암살 시도'였다. 2월 초 이성렬, 백시영, 김형집, 최기성, 이희두 등으로 구성된 백의사결사대는 신익희의 낙산장駱山莊에서 정보 수집 요령과 지하 활동 방법에 대한 교육을 받은 후 북한에 파견되었다.

이들은 평양역 앞 광장에서 열린 북한의 3·1절 기념행사에서 반탁운동과 북한 지도부 암살을 목적으로 수류탄을 투척하였으나, 소련군 노비첸코 중위가 땅에 떨어진 수류탄을 딴 곳으로 던져 내어 실패하였다. 3월 1일 '찰나에 고래를 놓쳤'지만 백의사결사대의 북한 임시인민위원회 지도자 암살 시도는 그후에도 계속되었다.

1946년 3월 치안이 미처 확립되지 않은 상황에서 백의사 대원들의 습격은 북한에 적지 않은 충격을 주었다. 이를 계기로 북한은 내부 치안을 다시 정비하는 한편, 김구, 이승만을 '테러 강도단의 두목'으로 맹렬하게 비난하였다.

그러나 임시정부의 이러한 대북타격정책도 1946년 초반기를 경과

하면서 점차 소멸되어 갔다. 그것은 임시정부가 전국적 구도에서 북한의 임시인민위원회와 맞서기는커녕 남한에서조차 미군정과 이승만, 한국민주당에 의해 임정법통론이 위협받게 되었기 때문이다.

독촉, 알려지지 않은 전투

1946년 제1차 미소공동위원회가 결렬되자 미국은 새로운 대한정책을 모색하여, 미군정은 이승만, 김구를 배제하고 김규식을 좌우합작과 입법자문기구의 지도자로 선택하였다. 따라서 1946년 후반 남한에서는 좌우합작위원회와 입법자문기구를 둘러싸고 복잡한 정치 정세와 일정한 정계 개편을 초래하였다.

그런데 좌우합작·입법자문기구에 대한 좌우익의 대응을 살펴볼 때 특별히 유의할 점은 그것이 각 진영 자체의 주도권 장악과 밀접하게 관련되어 있었다는 점이다. 좌익진영에서는 좌우합작과 더불어 조선공산당·인민당·신민당의 좌익 3당 합당이 추진되는 과정에서 주도권 싸움이 치열하게 전개되었다. 좌우합작 시기 좌익의 주도권 문제가 합당 문제로 공개적으로 표현되었다면, 우익의 싸움은 통합 조직인 '독립촉성국민회'(이하 '독촉')를 중심으로 은밀하게 진행된 '알려지지 않은 전투'였다.

'독촉'은 원래 1946년 2월 비상국민회의가 결성될 때, 이승만 주도의 독립촉성중앙협의회와 임정계의 반탁위원회가 통합된 것이었다. 이승만이 총재, 김구가 부총재로 추대되었지만, 정치 역학적 계산으로 모두 취임 승낙을 유보하여 독촉은 대단히 불안정한 상태였다.

독립촉성중앙협의회와 반탁위원회의 실질적 통합은 제1차 미소공위가 지체되고 있던 4월 10~11일 열린 '독촉' 전국지부장회의에서 이루어졌으며, 여기서 '독촉'은 이승만과 김구를 총재로 추대하였다. 김구는 독립촉성중앙협의회와 반탁위원회 양측에서 제출한 중앙위원 명단을 절충하여 선정하였고, 총회는 '김구의 초안'을 만장일치로 통과하였다. 당시 '독촉' 내 권력의 향배는 조직 초기의 애매모호함이 남아 있었지만 주도권은 전반적으로 김구에게 기울어져 있었다.

그런데 미군정의 권유와 협조에 의한 1946년 상반기 이승만의 지방 순회는 미군정의 인민위원회 탄압과 맞물려 지방에서 '독촉'이 뿌리내리는 중요한 계기가 되었다. '독촉' 회원은 1946년 4~6월 사이 100만여 명에서 700만 명으로 폭발적으로 증가하였는데, 이것은 이승만의 지방 순회 시기와 대체로 일치한다. 즉 이승만의 지방 순회 이면에서는 미군정과 경찰의 지원에 힘입어 인민위원회 등 좌익적 질서를 해체시키고 그 공백을 '독촉'으로 대체시키는 작업이 진행되었던 것이다.

이러한 성과를 바탕으로 이승만은 6월 10~11일에 개최된 제1차 전국대표대회에서 '독촉'의 중앙 조직을 장악하였다. 이승만은 총재로 추대되자 "명의만의 총재는 싫다"며 중앙상무집행위원회를 다시 조직할 권한을 위임받았다. 반면 김구는 "뭉치면 이 박사 하나요, 나누어 놓으면 삼천만"이라며 이승만에 추종하였다. '독촉' 6월 대회에서 이승만은 김구·임정계를 제압하는 '작은 쿠데타'에 성공하였다. 6월 이후 좌우합작 문제로 해서 이승만은 미 점령 당국과 일정한 갈등 관계에 접어들었지만, '독촉' 장악은 그의 정치 행보에서 중요한 도약대를 확보한 것이었다.

1945년 11월 23일 귀국 이후 김구와 임시정부는 사실 몇 번의 중요한 전투에서 패배했다. 1946년 1월 1일 서울에서 미군정에 대한 쿠데타는 실패하였고, 2월 6일 평양에서는 북조선임시인민위원회가 설립되었다. 김구와 임시정부가 미소공위와 북의 인민위원회에 맞섰지만 별다른 효과가 없었다. 그 와중에 임시정부는 사실상 해체되었고, 김구는 우익 정당인 한국독립당의 영수로 내려앉았다. 더욱이 우익의 통합 조직인 '독촉'에서도 이승만 다음의 2인자가 되었다. 이승만은 단지 명목상의 대표가 아니라, 지방 순회로써 '독촉'의 조직을 장악하였다.

제1차 미소공위가 결렬된 이후 미국은 좌우합작과 입법자문기구 설치로 새로운 대한정책을 모색하였다. 그것의 본격적인 마무리가 1946년 말까지 입법자문기구인 '남조선과도입법의원(이하 '입법의원')을 설치하는 것이었다. 입법의원의 반은 선거를 통해 뽑게 되었다.

부산 전재민수용소

1946년 9월 김구는 남도 순방에 나섰다. 얼핏 보면 이것은 48년 전 탈옥수의 몸으로 방랑하던 연고지를 찾아가는 역사 기행처럼 보이지만, 숨겨진 중요한 목적은 입법의원 선거를 앞두고 한국독립당의 조직 기반을 확대·강화하기 위한 '정치적 여행'이었다.

1946년 상반기 임시정부가 사실상 해체되고 '독촉'에서 2인자로 밀려난 이후, 김구에게 유일하게 남아 있는 정치적 자산은 한국독립당이라는 정당이었다. 4월 18일 많은 우여곡절 끝에 한국독립당·국민당·신한민족당 등 3당이 통합 한국독립당을 결성하였다. 미군정청에 등록된 통합 한국독립당의 당원은 한국민주당보다 많았지만, 당의 실질적인 조직력과 영향력은 한국민주당보다 취약하였다. 1946년 9월 김구의 남도 순방은 1946년 말 입법의원 선거를 앞두고 지방의 한독당을 확대·강화하기 위한 것이었다.

1946년 9월 14일, 김구는 기차를 타고 부산으로 갔다. 김구는 6월 15일 삼의사 유해를 맞이하러 부산역에 왔으니, 그로부터 3개월 만이었다. 6월 15일의 부산 방문에 대해서는 자세하게 보도하였지만, 9월 14일의 부산 방문에 대해서는 자료가 거의 없다. 『백범일지』에는 "그후 다시 삼남 시찰차 열차로 부산역에 도착하였다"는 단 한 줄의 기록만 남아 있다.

관련 언론 보도를 추적하면 김구는 9월 14일 엄항섭, 안우생, 선우진과 소설가 김광주 등을 대동하고 기차로 부산에 도착하였다. 부산에 도착하자마자 김구는 전재민수용소를 방문하여 귀환 동포 등 수용자들의 참상을 돌아보고 현금 1만 원을 희사했다(『자유신문』 1946.10.12.). 김구의 9월 남도 순방은 이처럼 기부로 시작하였다. 기부는 김구의 남도 순방의 또 하나의 특징이기도 했다. 그는 부산을 기점으로 진주에서 9000원, 광주에서 선물 40종, 군산에서 1만 2000원 등을 희사하였다.

김구의 전재민수용소 방문 사진. 오른쪽에 한국독립당 당기가 있다. (1946.9.14.)

이러한 기부는 어려운 서민에 대한 김구 특유의 자비심에서 비롯된 것이기도 하지만, 선거를 앞두고 한국독립당을 강화한다는 정치적 의미도 있었을 것이다.

1946년 9월 14일 김구가 부산 전재민수용소를 방문한 모습은 다섯 장의 사진으로 남아 있다. 그중에서 앞(123쪽)의 사진을 보면 김구가 가운데에 앉아 있고, 오른쪽에 깃발이 세워져 있는데, 자세히 보면 '한국독립당韓國獨立黨'이라 쓰여 있다. 한독당 당기가 있는 이 한 장의 사진은 1946년 9월 김구의 남도 순방 목적이 한국독립당의 확대와 강화임을 보여 주는 중요한 징표이다. 현재 부산 전재민수용소는 흔적도 없이 사라졌지만, 이 한 장의 사진에는 환국 이후 김구가 경험한 세 번의 전투와 이제 막 시작되는 새로운 정치적 전투가 연결되어 있다.

이 사진에서 김구 주변에는 당시 부산 순방을 수행한 인물들이 서 있는데, 핵심 인물은 김구 왼쪽에 서 있는 엄항섭이었다. 엄항섭은 당시 한국독립당 중앙집행위원 및 선전부장이었으며, 남도 순방 내내 최측근에서 김구를 안내했다. 그의 동생 엄도해도 김구의 남도 순방 전 일정을 수행하였다. 김구는 남도 순방 내내 한복을 입었는데, 9월 14일 부산에서만 저렇게 양복을 입었다.

사모각대를 갖추고
난생처음

김해 김수로왕릉

1946년 9월부터 10월에 이르는 김구의 남도 순방에 대한 사료는 상당히 부실한 편이다. 『백범일지』에서 해방 이후를 기록한 '누락 추가분'에도 1946년 9월의 남도 순방이 언급되어 있지만, 일정의 착오 또한 적지 않다. 『백범일지』에 의하면 1949년 9월 김구의 남도 순방 동선은 서울-부산-경남-전남-경남-전북-서울로 되어 있다. 경남에서 전남으로 갔다가, 전남 나주에서 다시 경남 김해에 왔다는 등 일정이 무척 혼란스럽다.

그때 나주를 떠나 김해에 도착하니 때마침 수로왕릉의 추향秋饗[秋享]이었다. 김씨와 허씨가 다수 모인 자리에서 참배 준비로 나에게 사모각대紗帽角帶를 갖추어 주었다. 이로 인해 출생 후 처음으로 사모와 각대를 차리고 참석, 배알하였다." (『백범일지』 417쪽)

『백범일지』에서 나주–김해로 이어지는 일정이 이상하였는지, 당시 김구를 수행한 선우진은 김구의 김수로왕릉 참배가 1946년 9월의 남도 순방이 아니라, 이해 가을 두 번째 남부 지방 순시 때의 일로 회고록에서 언급하고 있다. 이처럼 『백범일지』와 수행 비서의 회고록이 어긋나는 경우도 적지 않기 때문에 당시의 여정을 정확하게 고증하기 위해서는 신문 자료가 유효하지만, 당시 인쇄 노조의 총파업으로 신문들도 여러 날 발행이 중지되어 김구의 남도 순방 전모를 소상하게 파악하기는 무척 어렵다.

숭선전에서

김구의 남도 순방에 대해 가장 확실한 자료는 사진이라 할 수 있다. 김구 관련 사진 자료는 『백범 김구 전집』에도 수록되어 있지만, 『백범 김구 사진 자료집』이 가장 풍부하다. 그런데 김해 방문과 김수로왕릉 참배에 대해서는 위의 두 책에도 관련 사진이 전혀 없다.

『백범 김구 전집』 11권 228쪽에는 1946년 9월 15일 김구가 김수로왕의 신위를 모신 숭선전崇善殿에 남긴 유묵이 수록되어 있다. 한편, 숭

김수로왕릉에 참배하는 김구와 당일 숭선전에 써 준 휘호(1946.9.15.) ⓒ숭선전

선전 현지의 참봉 사무실에는 김구의 사진과 유묵이 나란히 전시되어 있다. 이번 조사에는 김판조 숭선전 사무국장이 적극 협조하여 주었다.

1946년 김구가 숭선전에 남긴 휘호와 김수로왕릉 참배 사진은 김구 관련 전집이나 사진집 어디에도 수록되지 않은 것이다. 사진은 『백범일지』에서 "난생처음으로 사모각대紗帽角帶를 갖추고" 참배하였다는 모습이다. 사모紗帽는 사진과 같이 뒤가 높고 앞이 낮은 2단으로 된 모자이며, 뒷면에는 각角을 달고 있다. 겉면은 죽사竹絲와 말총으로 짜고 그 위를 사포紗布로 씌우기 때문에 사모라는 이름이 비롯되었다.

사모는 원래는 관리들이 착용하던 관모였지만, 혼례 때에는 서민에

게도 착용이 허용되었으며, 고종 때 실시한 복장 개혁 이후 국가의 예
식에 입는 대례복·소례복에도 사모를 착용하게 되었다. 각대角帶는 관
복 등의 허리에 두르던 띠인데, 띠의 재료에 따라서 옥대玉帶·금대金
帶·은대銀帶 등의 고급 각대로부터 가죽으로 만든 혁대革帶 등 매우 다
양하다. 127쪽 사진에서는 김구의 팔에 가리고 허리 부분이 흐려서 각
대는 잘 보이지 않는다. 『백범일지』에는 전혀 언급이 없지만, 사진에서
김구는 손에 홀笏을 쥐고 있다.

1946년 양력 9월 15일의 추향대제

김수로왕릉에 대한 참배의 역사는 오래되었지만, 그것을 숭선
전에서 주관하게 된 것은 고종 15년(1878년) 이후의 일이다. 그해 조선
에서는 '숭崇'으로 시작하는 여덟 '전殿'을 지정하였는데, 숭령전崇靈殿은
단군과 동명성왕, 숭인전崇仁殿은 기자箕子, 숭덕전崇德殿은 박혁거세왕,
숭선전崇善殿은 김수로왕, 숭신전崇信殿은 석탈해왕, 숭혜전崇惠殿은 김알
지공, 숭렬전崇烈殿은 백제 온조왕, 숭의전崇義殿은 고려 태조 왕건을 모
시는 곳이다.
숭선전에서는 매년 음력 3월 15일과 9월 15일 김수로왕릉에 제례
를 올리는데, 봄에 올리는 것을 춘향대제春享大祭, 가을에 올리는 것을
추향대제秋享大祭라 한다. 김구의 유묵 "숭선전崇善殿 추향대례秋享大禮"
에서 '추향대례'는 추향대제와 같은 것이니, 현재에는 음력 9월 15일

에 올린다. 그렇다면 김구가 "숭선전 추향대례"를 쓴 일자인 "大韓民國二十八年[1946] 九月 十五日"도 음력인가? 이해 음력 9월 15일은 양력 10월 9일인데, 이때 김구는 남도 순방을 끝내고 서울에 있었다. 특히 10월 8~9일은 10월 폭동으로 경상남북도가 매우 엄중한 상태에 있었으며, 서울에 있는 김구도 좌우합작과 입법의원 선거에 대한 대처로 10월 11일 하지 사령관을 만나는 등 몹시 분주한 상황이었다. 10월 4일, 남도 순방을 끝내고 서울로 돌아간 김구가 '10월 항쟁'으로 비상계엄 상황과 비슷한 경남 김해를 10월 9일에 다시 방문했을 가능성은 거의 없다.

그렇다면 김구가 쓴 9월 15일은 다른 휘호의 날짜와 마찬가지로 양력이다. 김구는 양력 9월 14일 부산에 도착하여 전재민수용소를 방문하였으며 그날 부산에서 1박하였다. 이튿날 9월 15일 자동차 편으로 부산을 출발하여 오후 2시경에 진해에 도착하였다. 진해 도착 이전에 김해의 김수로왕릉에 들러 참배한 것으로 보인다. "9월 15일 김해를 지나다 참배하였다九月十五日 過金海參拜"는 휘호의 관기款記가 그것을 명확하게 말해 주고 있다.

김판조 숭선전 사무국장에 의하면 춘향대제는 반드시 음력 3월 15일, 추향대제는 반드시 음력 9월 15일에 지내며, 본인이 기억하는 한 양력으로 지낸 적은 없다고 하였다. 그러나 김구가 참배한 1946년의 추향대제는 분명히 양력 9월 15일이었다. 수로왕릉 추향대제의 역사에서 특별한 경우에 해당될 것이다.

김구는 1946년 남도 순방 시 휘호를 쓸 때 임시정부로 인한 미군정과의 갈등 때문인지 '병술丙戌'이란 간지를 즐겨 사용했다. 그러나 김수로왕릉에서는 "대한민국 28년"으로 임시정부와 관련되는 연호를 사용하였다. 아마도 김수로왕이 국가를 건국한 시조이기 때문에 정부 연호가 합당하다고 생각한 것인지도 모르겠다.

수로왕릉의 춘추향제에는 후손인 김해 김씨와 김해 허씨가 모이는데, 김해 김씨는 한국인의 10퍼센트 정도에 달하는 최대 성씨로 김수로왕 대제 참배는 정치 지도자들에게는 큰 의미가 있다. 1946년 9월 15일, "출생 후 처음"으로 사모각대를 갖추고 홀을 들고, "김씨와 허씨가 다수 모인" 가운데 김수로왕릉을 참배한 것은 상민 출신인 김구에게 각별한 경험이었다. 그해 추향대제가 양력 9월 15일에 봉행된 것도 또한 특별한 것이었다.

진해 해안경비대

김구는 1946년 9월 15일 오후 2시경 진해에 도착, 다음 날 오전 10시 손원일(孫元一, 1909~1980)의 안내로 그가 지도하는 해안경비대의 졸업식에서 열병식을 참관하였다. 당시 김구를 수행했던 선우진의 회고에 의하면, 손원일은 1946년 초에 경교장에서 한 달 정도 머물면서 해안경비대 창설을 주도하였고, 또한 김구의 주치의인 류진동 선생의 치료를 받았다고 한다. 류진동은 유진동劉振東의 착오이며, 손원일의 해안경비대가 경교장에서 탄생한 듯한 이 증언은 다소 일면적이다.

손원일은 1946년 6월 15일 조선해안경비대 창설 이후 미국에 해군 교관 파견을 요청하였고, 그해 8월 23일 2차대전 당시의

해군 영웅인 매케이브George McCabe가 한국에 도착한 후, 진해에
와서 손원일과 긴밀한 협의하에 해안경비대를 훈련시켰다.
김구가 말하는 1946년 9월 16일의 해안경비대 졸업식 열병식
이란 이들이 훈련시킨 단기 코스의 졸업식으로 보이는데, 귀중
한 관련 사진이 몇 장 남아 있다.

진해 조선해안경비대를 방문한 김구(1946.9.15~16.)

해방된 조국의 해안경비대

사진을 보면 앞줄 중앙에 김구가 앉아 있고, 왼쪽에 엄항섭, 오른쪽에 손원일이 있다. 그런데 김구 일행 이외 해안경비대 측 인사들의 경우, 모자도 두 종류, 제복의 색상도 두 종류이며, 넥타이 착용 여부도 다르다. 또 열병식의 사진을 보면 교육받는 이들의 복장과 모자도 두 종류이다. 해방 직후 해안경비대가 창설되면서 일본군이 남긴 선박과 물자를 이용하였는데, 복장도 그러했다. 해방된 조국의 군대가 일본군 복장으로 훈련받는 것에 대한 불만을 회고록 몇 군데에서 찾아볼 수 있다. 해안경비대 초기의 복장에 대해서는 추후 연구가 필요한 것으로 보이지만, 김구 방문 시에 남긴 사진이 귀중한 자료가 될 것이다.

해군의 아버지

손원일은 손정도(孫貞道, 1872~1931) 목사의 장남이다. 손정도는 1919년 3·1운동 직전 중국 상하이에 망명하여 임시정부 의정원 원장이 되었으니, 김구와도 잘 아는 사이이다. 손원일은 1924년 9월 상하이에서 북만주 지린吉林으로 활동 무대를 옮겼는데, 여기서 김일성(金日成, 1912~1994)과 각별한 인연을 맺게 된다. 손정도는 김일성의 부친 김형직(金亨稷, 1894~1926)과 절친한 사이였는데, 김형직이 죽을 때 김일성에게 유언으로 손정도 목사를 찾아가 의지하라고 부탁하였다

해안경비대 열병식

고 한다. 실제 김일성은 손정도를 찾아가 많은 도움을 받았고, 손정도의 자녀들과 자주 어울렸다.

북한에서는 1970년대 예술영화 「조선의 별」(1, 2부)에서 손정도 목사를 소상하게 소개하였다. 김일성도 1992년 자신의 회고록 『세기와 더불어』 제2권 제1장 「손정도 목사」에서 손정도 목사 및 그 자녀들과의 각별한 관계에 대해 비교적 자세하게 언급하였다. 김일성은 손 목사를 "한 생을 목사의 간판을 걸고 항일성업에 고스란히 바쳐 온 지조가 굳고 양심적인 독립운동가였으며 이름난 애국지사"라고 평가하였다.

김일성은 손정도의 차남 손원태(孫元泰, 1914~2004)와는 지린 위웬중학교毓文中學校 동창으로 절친한 사이였다. 손원태는 이후 미국으로 가서 의사로 살았는데, 1991년 5월 김일성의 초청으로 돌연 평양으로 가서 80회 생일상을 받았다. 손원태는 미국으로 돌아가 2003년 *Kim Il Sung and Korea's Struggle: An Unconventional Firsthand History*를 발간하였다. 2004년 사망한 손원태는 평양의 '애국열사릉'에 묻혀, 서울 동작동 국립현충원에 안장된 그의 형 손원일과 묘한 대비를 이룬다.

'한국 해군의 아버지' 손원일 제독은 대한민국의 해군 및 해병대 창설을 주도하였다. 1945년 해방 직후인 8월 21일 손원일은 해사협회海事協會의 발족을 주도하였고, 이어서 11월 11일 해군의 모체가 된 해방병단海防兵團을 결성하였으며, 이를 기반으로 1946년 6월 15일 통위부統衛部 산하의 조선해안경비대Korean Coast Guard 창설을 주도하였다. 1948년 대한민국 정부 수립과 함께 손원일은 초대 해군 총참모장(지금의 참모총장)에 취임하였고, 1949년 4월 15일에는 대한민국 해병대 창설을 주도하였다.

대한민국임시정부 산하의 광복군에는 해군이 없었고, 앞서 살펴본 것처럼 손원일의 해군 건설 작업은 김구의 귀국 이전에 이미 개시되었다. 때문에 손원일의 해안경비대 창설은 경교장에서도 의논은 하였겠지만, 미군 또는 미군정과 더 긴밀하게 협력하였다. 손원일은 미국에 직접 편지를 하여 해군 양성을 위한 미해군 교관을 초빙하기도 하였고, 최초의 해군함 백두산호를 미국에서 구입해 마련하였으며, 해군사관학교와 해병대 창설도 미국과 긴밀하게 협의하였다.

그가 도입한 백두산호는 6·25전쟁 초기 부산에 침투하던 북한특수부대 600명을 실은 북한함을 격침시켰고, 그가 창설한 해병대는 맥아더의 인천상륙작전에 최선봉으로 참가해 중앙청에 태극기를 게양하였다. 그는 1980년 사망하여 서울 동작동 국립현충원에 안장되었으며, 1997년 11월에는 그의 청동 입상이 진해의 구 해군작전사령부 건물 정면에 세워졌다.

해군의 1호 경비함

김구의 진해 방문에서는 경비함 이야기가 나온다.『백범일지』에서는 "그곳(진해)에서 경비함을 타고 통영에 상륙"했다고 하며, 수행한 선우진은 "해안경비대의 열병식을 참관한 백범 선생은 경비대 경비선을 타고 통영으로 가 제승당을 참배했다"고 좀 더 자세하게 경비함

김구 오른쪽은 엄항섭. 뒷줄은 좌측부터 엄도해, 손원일, 안우생, 장우식이다.
(앞줄 맨 왼쪽과 뒷줄 맨 오른쪽은 불명)

의 동선을 밝히고 있다.

　그러나 경비함의 목적지에 대한 서술은 착오로 보인다. 위 사진에서 확인할 수 있듯이, 김구가 경비함을 탄 것은 사실이다. 그러나 그 행선지는 통영이나 제승당은 아니다. 경비함과 제승당에서 찍은 사진에서 엄항섭의 복장을 비교해 보면, 경비함에서는 넥타이 없이 흰색 셔츠 차림인데, 제승당에서는 이 책의 168쪽에서 볼 수 있듯이 넥타이에 검은색 정장 차림이다. 관련 신문 자료들을 보면 김구는 9월 16일 오후 마산부청馬山府廳에서 유지들을 접견한 다음 '독촉' 마산지부 사무실로 옮겨 관내 사정을 청취했다고 한다. 따라서 김구 일행이 경비함을 타고 간 곳은 통영이나 제승당이 아니라 마산이었다.

김구가 경비함에서 찍은 사진을 보면 먼저 앞줄 가운데가 김구, 오른쪽이 엄항섭이다. 뒷줄은 왼쪽부터 엄도해, 손원일, 안우생, 장우식이다. 경비함에는 영어로 'KCG NO. 1'이 쓰여 있다. 1946년 당시의 KCG는 'Korea Coast Guard'의 약어로 해군의 모체가 되는 '조선해안경비대'를 의미한다.

'NO. 1'은 제1호 경비함이라는 것이다. 그러니까 김구의 방문 사진에 우리나라 해군의 제1호 경비함이 등장하는 것이다. 이 사진 역시 매우 중요한 자료이다. 이 경비함이 해방 이후 미국으로부터 새로 들여온 것인지, 일본군이 남긴 경비함을 다시 이용한 것인지는 추가 조사가 필요하다.

진해 충무공 시비

지금은 창원시로 통합된 진해의 구시가지 남원로터리에는 '서해어룡동 맹산초목지'라는 백범 친필 충무공 시비가 있다.

서해어룡동誓海魚龍動 바다에 두고 맹세하니 물고기와 용이 움직이고

맹산초목지盟山草木知 산에 다짐하니 초목이 알아주는구나.

충무공 이순신 장군이 나라를 걱정하며 지은 한시 중 절창인 구절이다. 한시의 제목은 알 수 없지만, 10자에 지나지 않는 이 구절에서 충무공의 웅혼한 기상을 느낄 수 있다. 그리하여 김구가 가장 사랑한 구절이기도 하다. 이 시비는 원래 북원로터

리에 세워져 있었으나 4·19의거 이후 남원로터리로 옮겨졌다.

백범 친필 충무공 시비

이 시비는 2017년에 대대적으로 정비되었다. 정비 과정에서 새로 추가된 것도 많고, 안내판도 돌로 새롭게 정비되었다. 그러나 안내석의 내용은 이전과 그대로이다.

백범 김구 친필 시비

경상남도 창원시 진해구 태평동 103

높이 282cm 폭 44cm

① 이 시비는 광복 이듬해인 1946년 대한민국임시정부 주석이었던 김구 선생이 진해를 방문하여 해안경비대 장병들을 격려하고 조국 해방을 기뻐하면서 남긴 친필 시를 화강암에 새겨 만든 비석이다. ② 비문은 '이충무공전서'에 실려 있는 이순신 장군의 우국한시憂國漢詩「진중음陣中吟」중 일부 구절로 임금의 피난 소식을 접한 후 나라의 앞날에 대한 근심과 장부의 충혼을 느낄 수 있는 글귀이다. … ③ 건립 초기에는 북원광장에 세워져 있었으나 4·19의거 이후 이충무공의 전승지인 옥포만이 바라다 보이는 남원광장으로 옮겨지게 되었다. ④ 비석 측면에는 大韓民國二十九年八月十五日(대한민국이십구년팔월십오일:

진해 남원로터리의 백범 친필 충무공 시비

백범 김구선생 친필시비

1947.8.15.) 金九謹題(김구근제)라고 음각되어 있다.[번호는 필자가 넣음]

먼저 이 안내판은 처음과 끝이 서로 맞지 않다. 처음 ①에서는 김구가 1946년 진해 방문 시에 남긴 친필시라 하고, 마지막 ④에서는 비석 측면에 "대한민국 29년 8월 15일", 즉 1947년 8월 15일 쓴 것이라고 새겨져 있다고 한다. 다시 말하면 이 휘호는 김구가 친필로 1947년 8월 15일에 쓴 것이라고 비석 자체에 새겨져 있다고 밝히면서도, 안내판에는 1946년 김구가 진해를 방문하여 해안경비대 장병들을 격려하고 조국 해방을 기뻐하면서 남긴 것으로 어긋나게 안내를 시작한다. 1946년에 쓴 것이라는 설명은 다른 곳에서도 볼 수 있다. 진해 중원로터리 옆에 있는 군항마을역사관 2층에서는 "백범이 1946년 해안경비대를 방문하여 장병들을 격려하고 태화여관에서 머물 때 남긴 친필을 화강암에 음각하여 비석을 만들었다"고 소개하고 있다(전점석, 2016).

왜 이런 설명이 계속되고 있는 것일까? 그것은 어떤 내용의 휘호를 한 번만 쓰는 것처럼 생각하는 무지와 관련이 있다. 어떤 사람이든 자신이 좋아하던 내용을 여러 번 유묵으로 남길 수 있고, 김구 역시 그러했다. 특히 충무공의 이 시 구절은 김구가 가장 좋아하고, 가장 많이 쓴 휘호이다.

서해어룡동 맹산초목지

'서해어룡동誓海魚龍動 맹산초목지盟山草木知'는 충무공 이순신 장군의 시 구절로 『난중잡록亂中雜錄』과 『이충무공전서』에 시 제목을 알 수 없는 '무제 1연'으로 소개하고 있다. 따라서 안내판에서 이 구절을 충무공의 우국한시 「진중음陣中吟」의 일부라 특정하는 것보다는 제목을 알 수 없는 시 구절로 소개하는 것이 타당하다고 생각된다.

충무공이 대자연과 소통하면서 맹세한 이 웅장한 구절을, 김구는 항일독립운동의 전선에서 애송하였으며 자주 휘호로 썼다. 필자가 이 글을 쓰면서 조사한 바에 의하면 김구가 쓴 '서해어룡동 맹산초목지'는 13편이나 확인할 수 있었다. 우선, 김구가 자신의 회갑(1936년 8월 27일)을 맞이하여 쓴 것만도 세 편이나 된다. 이 세 편의 휘호는 모두 "회갑일에 난징南京 진회하秦淮河에 숨어 살면서 충무공의 시구절을 써서 기념하였다回甲之日 於秦淮隱寓 書忠武公李舜臣詩一句 以作紀念"고 적혀 있다. 김구가 진회하의 회청교淮淸橋 옆에서 몸을 숨기고 있을 당시는 중국 여자 뱃사공 주아이바오朱愛寶와 같이 살고 있었던 시기이며, 또한 장제스蔣介石를 만나 김구는 독립운동의 용으로 비상하던 중요한 시기이다.

회갑일에 쓴 세 편의 '서해어룡동 맹산초목지' 중에서 하나는 "안창호 선생 아정安昌鎬先生 雅正"으로 되어 있다. 이것은 난징에서 회갑을 맞이한 김구가 '하와이의 안창호(安昌鎬, 1884~1969)' 선생에게 보낸 귀중한 휘호이다. 이 '하와이의 안창호'는 도산島山 안창호와는 다른 인물이다.

김구가 한국 독립운동의 영수로 인정받게 되는 것은 널리 알려진 바와 같이 1932년 이봉창 의거와 윤봉길 의거 덕분이다. 그런데 『백범일지』에 의하면 두 의거는 안창호 등 하와이 해외 동포들의 적극적인 후원에 힘입은 것이었다. 김구는 1931년 일본 요인 암살을 목적으로 한인애국단을 창단하고, 하와이 등 해외 교포들로부터 금전적 후원을 받기 위해 '편지 정책'을 시행하였다. 이 편지 정책에 적극 호응한 사람이 바로 하와이의 안창호로, 1934년 4월 하와이애국단에 가입하여 임시정부를 후원하였다.

해방 이후 김구가 조국에 돌아와서 제일 먼저 쓴 휘호도 '서해어룡동 맹산초목지'인데, 환국 당일인 1945년 11월 23일 김승학에게 써 주었다. 1년 후인 1946년 11월 23일에도 김구는 환국 일주년 기념으로도 이 휘호를 썼다.

김구가 1946년에 쓴 '서해어룡동 맹산초목지'도 다섯 편이나 남아 있다. 이해 임시정부로 인한 미군정과의 갈등 때문인지 임정과 직결되는 것이 아니면 '병술丙戌'이란 간지를 더 많이 사용하였다. 병술년 가을에 쓴 것 중에는 9월 16일 진해 방문 당시에도 쓴 것이 있을 수도 있다.

요컨대 김구는 '서해어룡동 맹산초목지'를 즐겨 썼으며, 1946년 진해 방문 당시에도 썼을 수 있다. 그렇다고 해서 지금 남원로터리에 석비로 세워진 휘호의 날짜가 달라지는 것은 아니다. 그것은 비석에 김구의 글씨로 새겨져 있는 바와 같이, 1947년 8월 15일에 쓴 것이 분명하다.

잘못된 비명과 깨어진 비신

2017년 새로 만든 창원시의 안내석에서 결정적으로 잘못된 것은 비의 이름이다. 안내석의 시비 이름이 '백범 김구선생 친필시비'이며, 기단 뒷면의 비명도 '백범 김구선생 친필시비'이다. 제목에서 가장 중요한 충무공 이순신은 빠지고 백범 김구 친필만 남아, 마치 김구의 시인 것처럼 보인다.

만약 이런 식의 작명이면, 진해 북원로터리의 이순신 장군 동상의

백범 친필 충무공 시비의 훼손 부분

경우, 앞면에 이승만 대통령의 친필 "충무공忠武公 이순신상李舜臣像" 7자가 있기 때문에 '이승만 친필 동상'이라고 하는 것과 마찬가지이다. 충무공 이순신을 통해서 이승만이나 김구가 통합되는 것이 아니라, 시의 원작자인 이순신 장군은 사라지고 글씨를 쓴 김구만 제목에 부상시키는 것은 당파적 싸움을 자초할 수도 있다. 요컨대 이 비의 이름은 마땅히 '백범 친필 충무공 이순신 장군 시비'가 되어야 한다.

사진에서 볼 수 있듯이 이 시비는 이승만을 따르는 무리들에 의해 심각하게 훼손된 상처가 생생하게 남아 있다. 1949년 6월 26일 김구 암살 이후 북원로터리에 세워져 있었던 백범 친필 충무공 시비가 철거되었다. 당시 이승만에 충성스러운 어떤 '해군 장성'이 북원로터리에서 시비를 뽑아서 진해역 근방에 버렸다고 한다. 1952년 4월 13일, 북원로터리에는 백범 김구 선생 친필 휘호 대신 충무공 동상이 세워졌다. 이 동상의 전면에는 '충무공이순신상忠武公李舜臣像 이승만근서李承晚謹書' 가 새겨져 있었다. 1960년 4·19의거 이후 또는 5·16군사정변 이후 깨어진 충무공 시비가 수습되어 현재의 남원로터리로 옮겨져 세워졌다. 이때 깨어진 조각을 붙이고(맹세할 서誓 자 부분), 없는 부분은 시멘트로 보완하였다(海海 자의 氵). 한편 4·19의거 이후 북원로터리의 이순신 동상 전면의 글씨 중에서 '이승만근서' 다섯 자는 제거되었다.

2017년 창원시는 남원로터리의 시비를 대대적으로 정비하였다. 그러나 시비의 이름을 여전히 '백범 김구선생 친필시비'라 하면서 충무공의 시라는 핵심은 누락되었다. 신통한 충무공도 김구와 이승만을 화해시킬 수는 없는 모양이다.

백범 연보와 어록, 친필 유묵

2017년 창원시에서는 남원로터리를 대대적으로 정비하면서 「백범 김구 연보」와 「어록」을 추가하였다. 연보에는 1907년에 "국권회복을 위한 신민회 가입, 황해도 총감"으로 되어 있다. 김구가 1908년 황해도 지역의 교육을 위해 조직된 교육 계몽단체인 해서교육총회의 학무총감을 맡은 적은 있으나, 신민회 황해도 총감이라는 것은 정체불

명으로 적절하지 않다.

연보에서 가장 큰 문제는 1896년에 "일본인 밀정 쓰치다를 명성황후 시해에 대한 복수로 처단"으로 되어 있다는 점이다. 아마도 이 사건을 김구 일생에서 가장 중요한 사건으로 평가하여서 특별히 부각한 듯하다. 그러나 김구 본인마저도 쓰치다를 밀정이라고 확언한 바는 없다. 『백범일지』에서는 "소지품을 조사해 본 결과, 그 왜인은 쓰치다 조스케土田讓亮라는 자였고 직위는 육군 중위"라고 서술하였다.

일본 외무성 자료에 의하면 쓰치다는 나가사키현 쓰시마 이즈하라 출신으로, 당시 인천에 와 있던 무역상 오쿠보 기이치에 고용된 상인이라고 한다. 일본 측 자료로만 보면 명성황후 시해사건과는 관계가 없어 보인다. 외국인들도 많이 방문하는 진해에 역사적으로 이견이 존

재할 수 있는 설명을 단정적으로 표현해 놓은 것이 마음에 걸린다.

남원로터리의 충무공 시비 옆에는 김구 친필 '독립만세'와 '붕정만리鵬程萬里'가 특별하게 새겨져 있다(사진 참고). 하필이면 왜 이 유묵을 선택하였을까?

이 유묵을 쓴 날짜를 추적해 보면 '붕정만리'는 1947년 원단(元旦, 1월 1일), '독립만세'는 1947년 6월 23일에 쓴 것이다. 당시 김구는 이승만과 긴밀한 반탁 연대를 맺고 정부수립운동을 벌이고 있었다. 이승만은 1946년 12월 1일 출국하여 워싱턴으로 가서 대미 외교를 전개하였고, 김구는 국내에서 반탁운동 등을 추진하였다.

1947년 1월 1일 김구가 쓴 '붕정만리'는 멀리 워싱턴으로 날아간 이승만의 대미 외교를 축원하는 구절이다. 4월 21일, 이승만은 장제스가 제공한 자강호自强號를 타고 상하이를 출발하여 김포비행장으로 귀국하였는데, 당시 김구는 이박사환국환영준비위원회 위원장을 맡고 있었다. 한편, '독립만세'는 6월 23일 쓴 것이다. 이날은 단오절이자 미소공동위원회 참여 단체의 등록 마감일이었으며 보스턴 마라톤 대회에서 우승한 서윤복 선수가 귀국하는 날이었다. 이승만과 김구가 연대한 반탁진영은 '서윤복 선수 환영 국민대회'를 이용하여 반탁운동을 전개하였다.

이처럼 남원로터리에 새겨진 김구의 유묵 두 건은 모두 이승만과의 반탁 연대를 상징하는 것이다. 많은 유묵 중에서 이것을 선택한 것이 과연 적절한 것인가? 일그러진 기념을 보면서 심히 우려하지 않을 수 없다.

진주 촉석루

1946년 9월 김구의 진주행에 대해서는 자료가 거의 없다. 『백범일지』에는 "진주로 가서 애국 기녀 논개의 옛 혼을 위로하는 마음으로 촉석루矗石樓를 시찰하였다" 한 문장뿐이고, 신문 자료도 한두 군데 김구가 진주에서 5000원을 기부했다는 단신이 전부이다.

그런데 『백범 김구 사진 자료집』(이하 『사진』)에는 인근 사천지역까지 포함하여 1946년 9월 16~18일 진주 방문 관련 사진이 20매나 수록되어 있다. 사진에는 날짜와 장소가 특정되지 않은 것이 많아 고증에 애로가 상당하지만, 그래도 사진이야말로 김구의 진주 방문에 대해 가장 확실한 정보를 전해 주고 있다.

우국의 현장으로

촉석루에서 '촉矗'은 글자 그대로 '쭉쭉쭉直直直' 솟아 있는 것을 말한다. 진주성 남강 바위 벼랑 위에 장엄하게 높이 솟아 있는 촉석루는 평양의 부벽루와 더불어 우리나라에서 가장 아름다운 누각으로 알려져 있다. 그러나 임진왜란의 최대 격전지가 되고 난 이후부터 촉석루가 자연 경관보다는 장렬한 죽음과 결합된 우국의 현장으로 널리 알려졌다.

1592년 진주 목사 김시민을 중심으로 일본군을 물리친 진주대첩은 한산대첩과 행주대첩과 더불어 임진왜란 3대 대첩 중 하나로 불린다. 그러나 이듬해 1593년 제2차 진주성 전투에서 진주성 안에 있던 군인과 민간인 6~7만 명이 전멸하였다. 이때 순국한 창의사 김천일, 충청도 병마사 황진, 경상우도 병마사 최경회를 특별히 '삼장사三壯士'라 일컫는다.

1593년 제2차 진주성 전투에서 진주성이 함락되고 최경회가 순국하자, 최경회의 후처인 논개가 적장을 유인해 끌어안고 남강에 떨어져 죽었다. 1625년 논개가 떨어져 죽은 바위에는 정대융이 '의암義巖'이라는 글씨를 새겼다고 전하며, 영조 16년(1739년)에는 논개를 추모하는 의기사義妓祠를 세웠다.

이 논개사당 의기사에는 순조 2년(1802년) 다산 정약용이 쓴 '기記'가 있고, 그 바로 앞에 한일병합 당시 자결한 매천梅泉 황현黃玹의 시를 새긴 현판도 있다. 그리고 촉석루에는 임란 당시 순국한 삼장사를 기리는 현판 시들이 즐비하다. 즉 임란 이후 진주성의 삼장사와 논개는 수많은 지사와 문인들을 촉석루로 불러들였다. 이들에 이어서 1946년 9월 어느 날 김구가 촉석루를 찾았다.

촉석루 방문과 송하 조윤형의 편액

152쪽 위 사진은 『사진』(256쪽)에 수록된 김구의 촉석루 방문 사진으로 단 1매만 소개되어 있다. 그런데 『사진』(259쪽)에 수록된 사진 두 장(그중 하나는 본문 152쪽 아래 사진)을 유심히 보면 김구와 엄항섭의 복장이 위의 사진과 동일하고, 배경의 건물이 2층 누각으로 측면이 4칸이다. 촉석루는 측면 4칸, 정면 5칸의 2층 누각이다. 결국 『사진』에서 김구의 촉석루 방문 사진은 총 세 장(256쪽 한 장, 259쪽 두 장)이 된다. 그중 본문 152쪽 위 사진은 2층 누각에 서 있는 김구 일행을 남강 쪽에서 찍은 것이며, 아래 사진은 반대편, 즉 촉석루에 오르는 계단이 있는 북측 마당 쪽에 서 있는 모습을 찍은 것이다.

사진을 보면 촉석루 방문 당시 엄항섭의 복장은 흰 셔츠에 검은 넥타이, 그리고 선글라스를 착용한 복장이다. 그런데 『사진』(249쪽)의 '사진 5'의 복장도 이와 동일한데, 이 사진의 하단에 "김구 선생을 마지하여 1946. 9. 18."이 새겨져 있다. 이상의 고증을 거쳐 김구가 촉석루에 오른 날짜는 1946년 9월 18일로 특정할 수 있다.

사진에 보이는 '촉석루' 편액은 정조 때 저명한 명필 송하松下 조윤형(曺允亨, 1725~1799)이 쓴 것이다. '그림에는 김홍도, 글씨에는 조윤형'이라는 말이 있을 정도로 그는 유명한 명필이었으며, 정조 임금의 총

촉석루 위에서 남쪽 강변을 바라보는 김구와 일행(1946.9.18.)

촉석루 북쪽 계단 입구 마당에서 김구와 일행(1946.9.18.)

애를 받아 수원 화성을 비롯하여 여러 공관의 편액을 도맡았다. 그는 촉석루와 더불어 우리나라 3대 누각의 하나인 밀양 영남루嶺南樓의 편액도 쓴 바 있고, 김구와 각별한 인연을 가지고 있는 마곡사의 심검당尋劍堂 편액도 썼다. 1898년 늦가을, 김구는 23세의 탈옥수로 조윤형이 쓴 심검당 편액 아래에서 하룻밤 유숙하면서 스님이 되었다. 이로부터 근 반세기가 지난 1946년 9월 18일, 김구는 다시 송하 조윤형이 쓴 촉석루 편액 아래에 서게 된 것이다.

그런데 현재 촉석루에 가면 김구가 보았던 송하 조윤형의 편액은 마당 쪽으로 옮겨져 있고, 김구가 사진을 찍었던 강변 쪽에는 진주의 명필 유당惟堂 정현복(鄭鉉輻, 1909~1973)이 쓴 또 다른 '촉석루' 편액이 붙어 있다. 요컨대 김구 방문 당시와는 달리 촉석루 편액이 2개가 되었으며, 조윤형 편액은 위치가 바뀌었다. 언제 왜 이런 변화가 생긴 것일까?

남아 있는 촉석루 사진들을 추적해 보면 일제강점기에도 1946년 김구 방문 당시와 마찬가지로 송하 조윤형이 쓴 '촉석루' 편액은 남쪽 강변 벼랑 쪽에 붙어 있었다. 1948년 대한민국 정부 수립 이후 촉석루는 국보 276호로 지정되는데, 당시 사진도 마찬가지이다. 즉 김구 방문 전후 '촉석루' 편액은 송하 조윤형이 쓴 것으로 남쪽 강변 쪽에 붙어 있었다.

1950년 6·25전쟁으로 촉석루는 소실되었고, 국보에서도 해제되었다. 1954년 이승만 대통령은 소실된 촉석루를 방문하였고, 진주고적보존회와 진주 시민들은 성금을 내면서 촉석루 중건사업을 추진하였다. 1956년부터 촉석루 중건사업이 시작되어 1960년 5월 20일 준공검사를 한 사진이 남아 있다. 이 사진을 보면 촉석루를 오르는 계단

위에 '촉석루' 편액이 추가되어 있는데, 이승만 대통령의 글씨라고 한다. 그런데 당시는 4·19의거로 이승만 대통령이 하야하고 난 이후이다. 민주당 정부의 제2공화국이 출범하고 난 이후 이승만 편액은 내려졌고, 대신 그 자리에 송하 조윤형의 편액이 걸리게 되었다. 그것을 박정희 국가재건최고회의 의장의 촉석루 방문 사진에서 확인할 수 있다. 한편, 송하 조윤형의 편액이 있는 강변 쪽에는 진주 명필 유당 정현복의 편액이 걸리게 되었다.

박정희 국가재건최고회의 의장의 촉석루 방문 사진

이승만의 한시와 김구의 휘호

김구가 촉석루를 방문하기 5개월여 전인 1946년 5월 2일, 이승만은 촉석루에 들러 이런 시를 남긴 바 있다.

彰烈祠前江水綠(창렬사전강수록) 창렬사 앞은 강물이 푸르고

義巖臺下落花香(의암대하락화향) 의암대 아래에는 낙화가 향기롭다

苔碑留得龜頭字(태비유득귀두자) 이끼 긴 빗돌에 남은 글자 보니

壯士佳人孰短長(장사가인숙단장) 장사와 가인, 누가 길다 짧으리

진주성 창열사는 임진왜란 당시 남성 영웅을 모시는 사당으로, 논개를 모시는 의기사와 대비되는 곳이다. 이승만의 이 한시는 진주성에서 임진왜란 기념의 양대 축이라 할 수 있는 창렬사와 의기사, 그 장사壯士와 가인佳人의 역사적 의미를 노래하고 있다.

1946년 상반기 김구와 이승만은 '독촉'에서 '보이지 않는 전투'를 하였다고 하였는데, 역사적인 장소에서도 두 사람 사이 기억의 전투 흔적이 더러 남아 있다. 진해의 이순신 동상과 시비가 그러하듯, 촉석루에서도 김구와 이승만 사이 역사 전투 기억의 흔적이 간접적으로 남아 있다. 이승만은 1946년 봄 진주를 거쳐 정읍으로 가면서 남한 우익의 조직을 대거 흡수하였고, 6월 3일 정읍에서 남조선 단독정부 수립 발언을 하였다. 이승만이 다녀간 지 5개월이 채 되기 전에 김구도 촉석루에 올랐다. 현재 촉석루에는 이승만의 편액도 시도 볼 수 없고, 김구가

촉석루 재건 준공검사 사진(1960.5.20.)
촉석루 편액은 이승만 대통령 글씨

다녀간 흔적도 남아 있지 않다. 그러나 송하 조윤형의 편액 위치가 뒤바뀐 사연 속에서 두 사람과 촉석루의 인연을 추적해 들어갈 수 있다.

1946년 5월 이승만이 진주에서 한시 한 편을 남겼다면, 1946년 9월 김구는 누구에게 써 준 것인지 알 수 없는 휘호 한 편을 남겼다. 매우 흥미로운 내용으로 전문은 아래와 같다.

晉陽有小山 形容幻出萬二千峰 因此而詩人墨客 四時不絶 山之主人 皆爲佛之後身也

嗟 我年之望八 姑未見金剛山 今秋巡過晉陽 而小山亦不見 無緣於金剛 如是乎

丙戌年 底在 臨時政府 金九 白凡

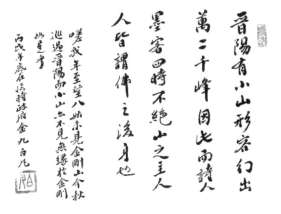

김구 유묵 「진양유소산晉陽有小山」

진양에 작은 산이 있는데 모양이 환상적으로 금강산과 같이 일만 이천 봉우리이다. 해서 시인묵객들이 사시사철 끊이지 않고 온다. 산의 주인이 모두 부처의 후신이라고 한다.

슬프다. 내 나이 71세인데, 아직 금강산을 보지 못하였다. 올 가을 진양을 지나가면서 작은 산도 보지 못하였으니, 내 금강산과 인연이 없음이 이와 같다.

1946년 저재 임시정부 김구 백범

여기서 금강산을 닮았다는 진양의 작은 산이 어디인지는 불확실하지만, 아마도 남해 금산錦山을 지칭하는 듯하다. 남해는 1895년 진주부소속이었던 적이 있고, 금산은 진주권역의 소小금강산이라 할 수 있다.

금산이 금강산에 비견되는 것은 아마도 이성계가 부여했다는 금산이란 이름과 무관하지 않을 것이다. 이성계는 이 산에 내려와 새로운 나라를 건국하기 위해 100일 동안 치성을 드리면서, 소원이 성취되면 온 산을 비단으로 감싸겠다고 약속했다고 한다. 건국 과업을 이룬 이성계가 약속한 대로 산 전체를 비단으로 감싸려 하였으나, 신하의 만류로 대신 '비단 금錦'자를 이 산에 내려 '금산錦山'이란 이름을 얻게 되었다고 한다. 김구는 건국 전야의 격동기에 진주를 지나면서 어떤 건국을 생각했을 것이다.

김구는 이 휘호의 부기에서 '병술년(丙戌年, 1946년)' 다음에 '저재 임시정부底在 臨時政府'라고 기록하였다. '저재底在'라는 단어는 김구가 남긴 휘호 중에서 유일하며, 다른 사람의 휘호에서도 본 적이 없는 단어이다. 1946년 임시정부로 인한 미군정과의 갈등 때문인지, 김구는 휘호를 쓸 때 '임시정부 28년' 대신 '병술丙戌'이란 간지를 더 많이 사용하였다. 그의 이번 남도 순방도 한국독립당의 확대 강화가 그 목적이고 한국독립당 당기黨旗를 가지고 다녔다. 그러나 그의 마음 밑바닥에는 여전히 임시정부 주석이 남아 있었다. '저재底在', 어디에서도 찾을 수 없는 이 단어로 '마음 깊숙이 임시정부가 있다'고 드러낸 것이다.

통영 한산섬

『백범일지』에서는 "그곳(진해)에서 경비함을 타고 통영에 상륙"했다고 하며, 수행한 선우진은 "해안경비대의 열병식을 참관한 백범 선생은 경비대 경비선을 타고 통영으로 가 제승당을 참배했다"고 하여, 진해에서 바로 통영-제승당으로 간 것으로 기록하고 있지만 이것은 착오이다. 관련 사진과 자료를 면밀하게 검토하면 김구의 실제 동선은 진해-마산-진주-통영-한산섬(제승당)-통영-여수였다.

『사진』의 260쪽에 제승당 방문 시의 사진 다섯 장이 남아 있는데, 다른 자료와 비교하면 김구는 1946년 9월 19일 한국독립당 당기와 함께 제승당을 방문하였다.

『백범일지』에 따르면 한산섬에서 김구는 먼저 충무공 영정에 참배하였다. 관련 사진이 네 장 남아 있는데, 여기에서 충무공 이순신 영정을 확인할 수 있다. 현재 충무공 이순신 영정 중 가장 유명한 것은 아산 현충사에 소장된 것으로, 1953년 장우성 화백이 그린 것이다. 이 영정은 1973년 10월 문화공보부에 의해 표준 영정으로 지정되어 일반인에게 널리 알려져 있다. 그런데 1946년 김구가 한산섬에서 참배한 영정은 이와 다른 것으로, 1933년 청전 이상범이 그린 것이다.

제승당을 찾은 김구의 모습(1946.9.19.). 충무공의 영정은 1933년 이상범이 그린 것이다.

———

왼쪽, 1949년 김은호가 그린 충무공 영정 (충무공파 종회 제공)

———

가운데, 1953년 장우성이 그린 충무공 영정

———

오른쪽, 1978년 정형모가 그린 충무공 영정

충무공 영정

1932~33년 청전 이상범이 그린 영정은 각별한 사연이 있다. 1931년 당대 최고의 소설가이던 춘원 이광수가 『동아일보』에 5월 30일부터 이듬해 4월 2일까지 소설 「이순신」을 인기리에 연재하였다. 마침 당시 이순신 종가가 빚더미에 올라 현충사의 토지가 경매시장에 나와 일본인에게 팔릴 위기에 처하였다. 이를 계기로 동아일보사 중심으로 성금 모금 운동이 펼쳐서 연 2만 명의 인원으로부터 1만 7000원을 모금하였다. 이를 기반으로 이순신 종가는 빚을 갚게 되었고, 1932년 6월 5일 현충사를 중건하고 새로운 영정을 봉안하게 되었다. 이 새로운 영정을 그린 사람이 소설 「이순신」에 삽화를 그리던 청전靑田 이상범(李象範, 1897~1972)이었다. 이상범은 현충사에 봉안할 새로운 이순신 영정을 준비하면서 한산섬 제승당의 영정은 "참고할 만하지 못하다"고 혹평을 하였다.

1932년 아산에서 현충사가 재건되고 이충무공 영정이 새로이 봉안되는 것을 지켜본 통영의 주민들은 헌신적으로 제승당 중건과 새 영정 봉안을 추진하였다. 그리하여 1년여의 준비 이후 1933년 6월 2일, 4~5만 명이 참여하는 '이충무공 영정 봉안식'과 '제승당 중건 낙성 기념식'이 성황리에 거행되었다. 통영과 한산섬 사이는 참배자들이 구름같이 몰려들어 마치 "바다에 배다리가 놓인 것" 같았다.

이때 한산섬의 사당에 새롭게 모신 영정도 청전 이상범이 그린 것이다. 그러니까 1933년 6월 2일 봉안한 제승당의 영정은 1년 전, 1932년

6월 5일 봉안한 현충사의 영정과 쌍둥이라고 할 수 있다. 현충사 봉안 작에 대한 신문의 영정 묘사는 "길이 넉 자 가옷, 넓이 석 자 네 치의 등 신대 채색 화상으로 조선 재래의 군복을 입고 등채를 들고 교의交椅에 앉은 모양"이다. 1946년 9월 18일 김구가 참배한 영정은 바로 이와 같 은 모습이었다.

그러나 현재 이상범이 그린 충무공 영정은 통영의 제승당에서도, 아 산의 현충사에서도 볼 수 없다. 1932년 이상범이 그린 현충사 영정은 1949년 김은호 작품으로, 다시 1953년 장우성 작품으로 교체되었다. 이후 이순신 종가에서 보관하던 1932년 이상범 작품은 유실된 것으로 확인되어 현재 도난 문화재로 신고되어 있다.

이 작품과 쌍둥이라 할 수 있는 1933년 한산섬 영정도 1952년 이당 김은호의 작품으로 교체되었고, 또 20여 년이 지난 1978년 '제승당정 화사업' 당시 정형모가 그린 영정으로 다시 교체되어, 현재 한산도에 서는 정형모의 작품을 볼 수 있다. 1946년 김구의 참배를 받았던 한산 섬의 영정은 다행히 현재 진해의 해군사관학교 박물관에서 보관되어 있다.

충무영당에서 충무사로

1946년 9월 19일 김구가 충무공 영정을 참배한 사진을 보면 영 정을 모신 건물에 '충무영당忠武影堂'이라는 편액이 있어, 현재의 '충무사忠武祠'와 다르다. 1933년 제승당을 중수하고 충무공 영정을 새롭게 봉안할 때, 통영시민들은 목조건물로 새로운 영당을 건립하였다. 이때 통영의 서화가인 완산玩汕 김지옥金址沃이 쓴 '충무영당'이란 편액을 내걸었다. 1946년 9월 19일 김구가 참배할 당시의 편액 글씨가 바로 김지옥의 '충무영당'이었다.

충무공 영정에 참배하는 김구(1946.9.19.)

사진에는 열린 문짝에 가려 보이지 않지만, 충무영당 중앙의 두 기둥에는 충무공의 시구인 "서해어룡동 맹산초목지"를 충무공 친필에서 집자하여 목판에 음각하여 주련으로 걸었다고 한다. 그러나 현재 이 주련을 제승당 어디에서도 볼 수 없어 참으로 유감이라 할 수 있다. 그런데 통영 충렬사 동재東齋에 충무공 친필을 집자한 이 주련이 있어서, 김구 방문 당시 '충무영당'의 원 주련도 이와 유사했을 것임을 짐작할 수 있다.

김구 참배 이후 오늘까지 충무영당도 두 번의 변화를 겪었다. 1967년 문화재관리국에서 충무영당을 중수하면서, 편액도 서예가 일중 김충현이 쓴 것으로 교체하였다. 다시 1976년 박정희 대통령의 지시로 '제승당 정화사업'이 대대적으로 추진되면서, 기존의 목조 영당을 헐고, 위치를 조금 뒤로 물려서 콘크리트로 크게 신축하였다. 그리고 박 대

1960년대 제승당. 정면 3칸, 기둥 네 개에 충무공의 시가 한산도야음閑山島夜吟이 주련으로 붙어 있으며, 편액은 김영수가 쓴 것이다.

통령의 친필 '충무사忠武祠' 편액을 걸어 오늘에 이르고 있다. 1967년 김충현의 '충무영당'은 현재 창원 진해의 해군사관학교 박물관으로 이전되어 보관 중이라 하고, 1946년 김구 참배 당시 김지옥의 편액은 소재를 알지 못한다.

제승당 편액

김구는 한산섬에서 영정에 참배하고 이후 제승당을 관람하였는데, 그 소감을 아래와 같이 술회하였다.

> 참배 후 좌우를 살펴보니 제승당이라는 현판이 땅에 떨어져 있는 것이 아닌가. 그 연고를 물으니, 왜정시대에 떼고 달지 못한 것이라 하였다. 나는 지금까지 보관한 것만도 다행이라 생각하여 즉시로 그 현판을 걸게 하고…. (『백범일지』414쪽)

그런데 김구가 언급하는 이 '제승당' 현판은 현재에도 제승당 바닥에 놓여 있어 의아하지 않을 수 없다. '제승당' 편액을 처음으로 쓴 사람은 조경趙璥이었다. 정유재란으로 한산도의 통제영이 불타 폐허가 된지 143년 만인 1740년, 제107대 통제사인 조경이 한산섬에 와서 유허비를 세우고 '운주당運籌堂' 옛터에 집을 짓고 '제승당制勝堂'이라는 친필현판을 걸었다. '운주運籌'와 '제승制勝'은 서로 짝이 되는 단어이다. 『사기史記』의 「고조본기高祖本紀」에 "운주유악지중運籌帷幄之中(군막 안에서 작전을 세워), 결승천리지외決勝千里之外(천리 밖에서 승리를 쟁취한다)"라는 구절이 있는데, '결승' 대신 '제승'을 사용하기도 한다. 충무공 당시 작전을 짜던 '운주당'을 조경에 의해 '제승당'이란 편액이 걸린 것이다. 이 조경의 편액은 지금도 걸려 있다.

정조 9년(1785년) 제140대 통제사로 김영수金永綬가 부임하였다. 김영수는 큰 글씨, 그것도 술을 마시고 취필醉筆로 쓰는 것에 능하였다. 통제사로 부임한 이듬해 2월, 71세의 그는 가로 380센티미터, 세로 190센티미터의 대형 편액 '제승당' 세 자를 쓰고, "崇禎三丙午[1786] 仲春[음 2월] 統制使 望八 醉筆"이라 관기款記하였다. 이해 7월에 순직하였으니, 제승당 편액은 그의 마지막 대작이라 할 수 있다. 1946년 김구가 말하는 제승당 편액은 사진에서 볼 수 있듯이 김영수가 71세에 취필로 쓴 편액이 분명하다.

앞서 언급한 바와 같이 김구는 이 김영수 제승당 현판이 "왜정시대에 떼고 달지 못한 것"라는 사연을 듣고 "즉시로 그 현판을 걸게 하"였다고 하는데, 현재에도 이 현판은 제승당 바닥에 놓여 있어 김구의 지시가 이행된 것인가 늘 의아했었다. 그런데 1960년대 제승당 사진을 보면 과연 김영수의 편액이 정면에 붙어 있어, 김구의 지시가 이행되었던 것으로 보인다.

그런데 1976년 '제승당 정화사업' 시절 김영수의 '제승당' 편액이 제승당 성역화사업 시공사인 충무시 정량동 대림산업 자재창고에서 조각조각 쪼개져 불에 그을리고 일부 조각은 아주 타 없어진 상태에서

김영수가 쓴 제승당 편액 앞의 김구(1946.9.19.)

발견되었는데, 통영 충렬사 이정규 이장이 충렬사에 옮겨 보관하여 오다가 1985년 8월 이원홍 문화공보부장관에게 건의하여 그해 말 복원하였다고 한다. 그것이 현재 제승당 바닥에 놓여 있는 것이다.

사실 김영수의 편액은 현재의 제승당 건물에 달기에는 세로 190센티미터로 너무 크다. 김구가 방문했던 당시의 제승당은 정면 세 칸에 기둥이 네 개이며, 충무공의 빼어난 한시인 「한산도야음閑山島夜吟」이 주련으로 붙어 있었다.

水國秋光暮(수국추광모) 바다에 가을 빛이 저무니

驚寒雁陣高(경한안진고) 추위에 놀란 기러기 떼가 높이 진을 차렸네

정면을 5칸으로 늘린 현재의 제승당 모습

憂心輾轉夜(우심전전야) 나라 근심으로 엎치락뒤치락하는 밤에

殘月照弓刀(잔월조궁도) 새벽 달빛이 활과 칼을 비추네

　1976년 국가예산을 투입하여 대대적인 '제승당 정화사업'을 벌여 지금의 모습을 갖추게 되면서, 제승당 건물의 모양도 상당히 바뀌었다. 가장 중요한 변화가 정면 5칸, 기둥 여섯으로 건물이 옆으로는 확대되었고, 오르는 계단이 없어지는 등 높이는 상대적으로 줄어들었다. 그 결과 기둥이 여섯이라 원래 있던 주련 네 개와 맞지 않게 되었다. 그리하여 양끝의 기둥에는 현재 주련이 없다. 그리고 편액은 김영수 편액에서 조경의 편액으로 바뀌었다.

　1946년 9월 19일 김구는 한산섬 제승당을 방문하였다. 김구는 그곳에서 충무공의 영정에 참배하였으며, 자신이 가장 좋아하는 충무공의 시구 "서해어룡동 맹산초목지"가 주련으로 붙어 있는 것을 보았을 것이며, 김영수 통제사가 망팔望八의 나이에 취필로 쓴 대형 제승당 편액을 걸어 붙이게 했다. 1946년 9월 김구가 남긴 몇 장의 사진은 제승당의 사라진 역사에 대해서도 생생하고 귀중한 증언을 남기고 있다.

무등산 오방정

광주 백화마을

광주극장, 전남방직공장, 관음사

광주 대성국민학교와 광주여자중학교

함평 이동범 가옥

보성 김광언 가옥

순천 송광사

한규무
광주대학교 호텔관광경영학부 교수

光明

광주 대성국민학교
광주여자학교
극장
전남도청
관음사
백화마을
무등산 오방정

순천 송광사

함평 이동범 가옥

보성 김광언 가옥

순천 송광사

전라남도 순천의 송광사(松廣寺)는 유명한 고승을 많이 배출한 '승보사찰(僧寶寺刹)'로 널리 알려져 있다. 대한불교조계종 제21교구의 본사로서 이전에는 대길상사(大吉祥寺)·수선사(修禪寺)라고도 불렸으며, '불보사찰(佛寶寺刹)'인 경남 양산의 통도사(通度寺), '법보사찰(法寶寺刹)'인 경남 합천의 해인사와 함께 우리나라 3대 사찰로 꼽힌다. 송광사 창건에 대한 정확한 기록은 없으나, 「송광사사적비」·「보조국사비명」·「승평속지(昇平續誌)」 등에 따르면 신라 말 체징(體澄)이 지은 길상사(吉祥寺)라는 작은 절에서 비롯되었다고 한다. 순천의 문화유산으로 첫손에 꼽히는 송광사는 템플스테이 프로그램도 활발히 운영되고 있으며 연중 관광객이 끊이지 않는

송광사 대웅전 앞에서 기념사진을 찍은 김구와 일행(1946.9.21.) ©송광사 성보박물관

다. 송광사 초입에 접어들면 그 명성과 규모에 미리 압도되기 십상이다. 성보박물관을 비롯하여 볼 것도 많지만, 여기서 김구를 연상하기는 쉽지 않다.

한 장의 사진

　김구의 송광사 방문은 오랫동안 알려지지 않았다. 『백범일지』에도 그 같은 내용이 없기 때문이다. 그러다가 2005년에 한 장의 사진이 공개되면서 그 사실이 알려지게 되었다. 1946년 9월 21일 송광사를 방문한 김구가 스님들과 대웅전 앞에서 찍은 기념사진이 그것이다.

　필자는 2017년 7월 송광사 성보박물관장 고경 스님을 만나 뵐 기회가 있었는데, 이 사진을 보고서야 김구의 송광사 방문을 처음 알게 되었다. 사진 한 장이 참으로 소중한 역사적 자료가 될 수 있다는 사실을 새삼스럽게 다시 깨달았다. 고경 스님은 이 사진을 백범기념관에도 제공했다고 하였다. 비록 과문寡聞하기는 하나 한국근대사를 전공했다는 필자도 모르고 있었으니 일반인들 역시 마찬가지일 것이다.

　이제 김구의 행로를 살펴보자. 1946년 9월 13일 김구는 명동성당에서 거행된 홍진洪震의 영결식에 장의위원장으로서 참석했고, 이튿날부터 경남·전남·전북 등 순회여행을 시작했다. 경남 부산·김해·진해·창원·마산·진주·통영 등지를 1주일간 방문한 김구는 통영에서 여객선 편으로 전남 여수에 도착했고, 이후 9월 19~20일은 여수에서,

20~21일은 순천에서 체류했다.

김구가 송광사를 방문한 때는 순천 체류 마지막 날인 9월 21일이었다. 그 유명한 조계산 송광사 단풍이 곱게 물들기 시작한 때였다. 사진에는 김구와 엄항섭을 비롯하여 취봉 스님, 해은 스님, 용은 스님 등의 모습이 보인다. 김구의 여수·순천행은 김광주, 선우진, 안우생, 엄항섭 등이 수행했는데, 이들도 사진 속에 자리 잡고 있는지 모르겠다. 원래 취봉 스님이 소장하고 있던 이 사진은 공개 당시 그 제자인 부안 정토사 주지 원공 스님이 소장하고 있었다고 한다.

종교의 경계를 넘어서

김구는 해방 후 환국하여 전국을 순회하면서 서울 대각사와 진관사·공주 마곡사·순천 송광사·여주 신륵사 등을 방문했다. 이 중 대각사와 마곡사는 망명 이전 김구가 인연을 맺었던 사찰이지만 진관사와 신륵사는 직접적인 관련이 없었다. 따라서 1946년 9월 김구가 송광사를 방문했다고 해서 그가 망명 이전 이곳과 인연을 맺었다고 단정하기는 이르다. 1898년 그가 삼남 지방을 순회하며 은신했을 때도 순천을 방문했다는 내용은 『백범일지』에 보이지 않는다.

한때 원종圓宗이란 법명으로 승려 생활을 했던 김구이기에 불교에 대한 관심과 애정은 깊었을 것이다. 그는 1903년경 기독교에 입교入敎하여 구국계몽운동을 전개했으며, 상동교회를 중심으로 한 항일민족

송광사 전경

운동에도 참여했고, 해방 이후까지 기독교 신앙을 유지했다. 해방 직후 그의 행보는 친기독교적이었다 해도 과언이 아니었다. 하지만 그는 배타적인 기독교인이 아니었다. 다음은 「나의 소원」(1947년)의 한 대목이다.

어느 한 학설을 표준으로 하여서 국민의 사상을 속박하는 것은 어느 한 종교를 국교로 정하여서 국민의 신앙을 강제하는 것과 마찬가지로 옳지 아니한 일이다. 산에 한 가지 나무만 나지 아니하고, 들에 한 가지 꽃만 피지 아니한다. 여러 가지 나무가 어울려서 위대한 삼림의 아름다움을 이루고 백 가지 꽃이 섞여 피어서 봄들의 풍성한 경치를 이루는 것이다. 우리가 세우는 나라에는 유교도 성하고, 불교도 예수교도 자유로 발달하고, 또 철학을 보더라도 인류의 위대한 사상이 다 들어와서 꽃이 피고 열매를 맺게 할 것이니, 이러하고야만 비로소 자유의 나라라 할 것이요, 이러한 자유의 나라에서만 인류의 가장 크고 높은 문화가 발생할 것이다.

보성 김광언 가옥

지금이야 보성 하면 녹차밭을 떠올리지만, 1990년대까지만 해도 보성을 찾는 외지인들에게 가장 인기 있는 문화관광지는 단연 쇠실마을(보성군 득량면 삼정리 쇠실마을)로 기억된다. 한국인들이 가장 존경하는 인물인 김구의 자취와 체취를 남도에서 보고 느낄 수 있다는 것은 소중한 경험임이 분명하다. 더욱이 명성황후의 복수를 위해 일본인 쓰치다를 맨주먹으로 때려죽인 김구가 인천감옥에서 극적으로 탈옥하여 이곳에서 수십 일 동안 은신했다는 드라마 같은 이야기는 방문객의 흥미를 더욱 돋운다.

백범김구선생은거추모비

　　1990년대 어느 날 처음 방문했을 때는 초라한 안내판밖에 없었던 것 같은데 지금은 여러 가지 기념물이 방문객을 반긴다. 우선 우뚝 솟은 '백범김구선생은거추모비' 좌우로 '기념관건립경위'와 김구가 남긴 한시 「이별난離別難」이 새겨진 비가 자리 잡고 있다. 은거가 추모의 대상인지 모호하지만, 추모비 측면에는 문헌 자료에서 볼 수 없는 김구의 이곳 생활 내용이 새겨져 있다.

　　가옥 앞에는 '백범 김구 선생께서 은거하신 집'이란 안내석이 세워져 있다. 대부분 자료에는 '40여 일' 머물렀다고 하는데, 여기에는 '50여 일'로 나와 있다. 평범한 모습의 고옥古屋은 변형에 변형을 거듭했을 것이지만, 맨 오른쪽 방이 김구가 거처한 방이라고 한다. 그리고 같은 경

───────
김구가 은거했던 가옥

내에 '백범김구은거기념관'이 2006년 건립되었는데, 김구 관련 사진들이 전시되어 있다.

'백범김구선생은거추모비' 측면에 새겨져 있는 내용을 먼저 읽어 보는 것이 좋겠다. 세로로 쓰여 있어 읽기 불편하고 내용도 다소 장황하지만, 다른 기록에 없는 대목도 여럿이다.

> … 탈옥 후 피신길을 택한 선생께서 목포, 완도, 장흥 등을 거쳐 이곳에 일가들이 집성촌한 마을이 있음을 알고 찾아오시니 1898년 음력 5월 무더운 어느 날이었다. 당시 문사일을 보던 김승묵(자 광언)은 김두호라고 칭한 젊은 과객을 반갑게 맞아들였다. 33세[23세]의 젊은 선생은 10여 살 위인 윗행렬들과 동유하며 학문과 세태 등을 논하였으니 주로 광언, 덕은[덕언], 사중 및 선씨 등이었다.

여기까지는 널리 알려진 내용이다. 하지만 다음 대목은 여기에만 나오는 것 같다.

> … 선생께서 지니셨던 동국역대[동국사기]라는 책으로 우리 역사를 알리셨고 뒷산 바위 위에 오르시어 초동들에게 체조를 지도하시기도 하고 바위틈을 흐르는 개울물에 멱을 감기도 하셨다. 광언의 부인을 따라 밭에 가 콩을 뜯어다 죽을 쑤어 끼니를 때우시기도 하셨다. 달포 여를 머문 선생께서 떠나면서야 내가 일본놈 한 명을 죽이고 피해 다닙니다 하며 광언의 어린 두 아들을 서울 신학교에 보낼 것을 권하셨

으나 승낙을 얻지 못했다. '이별난'이라는 시를 남기시고 언젠가 이 시를 보며 제 생각을 하실 거라며 후일을 기약하고 살아 있다면 꼭 소식을 전하겠습니다 하시고, 말년에 몸이 불편해진 광언은 어린 손자인 두회를 데리고 지내면서 그 두호라는 청년이 범상치 않아 보였는데 아무 소식이 없구나 하시면서 같이 지냈던 얘기를 자주 해 주셨다. 광복을 맞아 환국하는 선생은 독립촉성 보성지회를 통해 그 옛날 함께 했던 분들이나 그 자손들이 기거하고 있는지를 물어 오셨다. 동유하던 분들은 모두 타계하시고 그 자손들이 있음을 전해 들은 선생께서는 광언의 종손인 기옥에게 간절한 정이 담긴 서신을 보내오시어 지금껏 소중히 보관 중이다. 광언의 차자인 재인으로 하여금 경교장을 찾게 한 선생께서는 심심한 감사의 말씀과 함께 대형 존영을 온 마을 가가

백범김구선생은거추모비

호호에 친필서명하여 보내 주시니 감개무량하였다. 선생의 전국일주 시에는 전 동민이 이곳 도로에 솔문을 세우고 환영 인파가 인산인해를 이루었던 바 옛날 그 마루에 앉아 그 후손들과 담소하시는 선생의 눈은 젖어 있었다. 그 옛날 근 두어 달을 농사철에 폐를 끼쳤다 하시며 그 후에 소식을 전하지 못한 미안함, 큰 흉년이라 콩잎죽을 쑤어 먹었던 일, 시원한 목욕, 더 맛있었던 동천샘물 등 추억을 쏟아 내셨다. 재인 등으로 경교장을 다시 찾게 하시고는 친필 휘호를 내리셨고 옛날 떠날 때 필묵을 선물한 선씨 가족에게 후사하셨다. 선생의 국민장 시에는 족제인 창회가 신을 도와 일가의 정을 깊게 하셨다.

근대사를 전공하는 필자는, 근래에 세워진 금석문보다는 당시의 문

백범김구은거기념관과 추모비

헌 자료를 더 신뢰하는 편이다. 하지만 작은 촌락에서 구전으로 이어진 이 내용들은 충분한 사료적 가치가 있다고 생각된다. 쇠실마을에서 김구가 어떻게 지냈는지 보여 주는 가장 생생한 내용이다.

쇠실마을

1898년 3월 인천감옥을 탈옥한 김구는 각지를 전전하다 5월 전라남도 보성군 득량면 삼정리 쇠실마을 안동 김씨 집성촌의 김광언 집에서 은신 생활을 시작했다. 이에 대해 『백범일지』에는 다음과 같이 나온다.

> 목포를 떠나 해남 관두, 강진 고금도, 완도 등지를 구경하고 장흥 보성 송곡면으로, 화순 동복으로, 순창 대명으로, 하동 쌍계사로 칠불아자 방도 구경하고 다시 충청도로 들어와 계룡산 갑사에 도착하니 …

이 부분에서 "금 득량면 득량리, 종씨 김광언 등 가에서 사십여 일 휴식. 이시 동리 선부인의 필속 제송을 수했음"이라는 주석이 붙어 있다. 여기에 "40여 일"이라 나오지만, 『백범일지』의 1946년 9월 쇠실마을 방문 대목에서는 "수삼 개월"이라 나온다. 쇠실마을을 떠날 때 남겼다는 한시 「이별난離別難」에는 "한 달여月餘"로 나온다. 김구 자신도 정확히 기억하지 못하고 있는 것이다. 쇠실마을 주민들의 기억에 근거했을

'백범김구선생은거추모비'에는 "달포여"라 나오고, '백범 김구 선생께서 은거하신 집' 안내석에는 "50일"이라 나온다.

쇠실마을이 안동 김씨 김구의 "동족들이 일군 동족부락"(『백범일지』)이라고는 하나, '김두호金斗昊'란 가명의 낯선 청년을 김광언이 식객처럼 받아들인 이유가 궁금하기도 하다. 김구가 처음부터 탈옥수라고 사실대로 말했을 리는 만무하며, 마을을 떠날 때가 되어서야 자신의 정체를 알렸다고 한다. '은신 생활'이라고는 하나, 앞서 나온 '백범김구선생은거추모비'에 나오듯이 그는 종친 및 주민들과 스스럼 없이 교류한 것으로 알려져 있다. 쇠실마을을 떠나는 김구에게 선계근은 부인이 만든 붓 주머니를 선물했으며, 김구는 김광언에게 속표지에 한시를 쓴 『동국사기東國史記』에 '김두호'라 서명하여 선물했다. 이 한시 제목은 '이별난離別難(이별하기란 어렵구나)'으로, 내용은 다음과 같다.

離別難如離別難(이별난여이별난) 이별하기란 어렵구나 참으로 이별은 어려운 일인데
離別難處花樹開(이별난처화수개) 이별이 힘든 곳에도 꽃나무 꽃 피우네
花樹一枝分折半(화수일지분절반) 꽃나무 한 가지를 꺾어 절반씩을 나눠
半留宗家半行帶(반류종가반행대) 하나는 종가에 남겨 두고 하나는 가지고 떠납니다
生我天地逢何時(생아천지봉하시) 넓은 천지에 살아서 또 만날 것인지
捨此江山去亦難(사차강산거역난) 이 강산을 버리고 떠나기도 또한 어려운 일인데

四員同遊至月餘(사원동유지월여) 네 사람이 함께 한 달여 동안 한가로
이 놀고 지내다

離離惜別而去也(저어석별이거야) 이별을 아쉬워하며 덧없이 떠납니다

日後見此或可思(일후견차혹가사) 먼훗날 이것을 보시게 되면 혹시 오
늘의 나를 회상할까 생각되어

餘否耶遺此表情(여부야차유표정) 이정표로 남겨 두고 멀리멀리 떠나갑니다

함께 한 달여 동안 '한가로이 놀고 지냈다'는 네 사람은 종친 김광언, 김덕언, 김사중과 김구였다. 이들은 함께 『동국사기』를 읽으며 시국에 대해 토론했다고도 한다. 김구가 쇠실마을을 떠날 때 이웃의 한 주민이 한 마리밖에 없는 씨암탉을 잡아 대접했다는 일화도 있다.

48년 만에 찾은 마을

해방 후인 1946년 9월 22일, 48년 만에 김구는 다시 쇠실마을을 방문했다. 당시 상황에 대해 『백범일지』에는 다음과 같이 상세히 나온다. 다소 길지만 인용해 본다.

보성군 득량면 득량리는 48년 전 망명할 때 수삼 개월이나 머물렀던 곳이다. 그곳은 나의 동족들이 일군 동족 부락인데, 동족들은 물론이고 인근 지방 동포들의 환영 역시 성황을 이루었다. 입구의 도로를 수

리하고 솔문을 세웠으며, 환영 나온 남녀 동포들이 도열하여 나를 맞이하는지라 차를 멈추고 걸어서 동네로 들어갔다.

내가 48년 전 유숙하며 글을 보던 고 김광언 씨의 가옥은 옛날 그대로의 모습으로 나를 환영하니, 불귀의 객이 된 김광언 씨에 대한 감회를 금할 수 없었다. 그 옛날 내가 식사하던 그 자리에서 다시 한 번 음식을 대접받고자 한다 하여, 마루 위에 병풍을 두르고 정결한 자리에 편히 앉으니, 눈앞에 보이는 산천은 예전 그대로이나 옛사람들은 별로 없었다. 모인 동포들을 향하여 "혹시 나를 아는 사람이 있는가?"라고 물으니, 동네 여자 노인 한 분이 대답했다. "제가 일곱 살 때 선생님 글 공부하시던 좌석에서 놀던 기억이 새롭습니다."

그 외 동족 중 한 사람인 김판남 씨가 나와서, 48년 전 나의 필적이 완연한 책 한 권을 내보이며 옛일이 어제 같다고 말했다. 전에 나와 알던 이는 이 두 사람뿐이었다.

쇠실마을 주민들은 마을 입구의 도로를 수리하고 솔문을 세워 김구를 환영했는데, 당시 국민학교 2학년생 김경회는 가가호호 쌀을 걷어 음식을 장만했다고 회고했다. 김구는 은거 당시 식사했던 바로 그 마루에서 음식을 대접받았다. 김광언은 이미 사망했고, 7세 때 김구가 글공부하던 자리에서 놀았다는 여성과 김판남이란 주민만이 그를 기억하고 있었다. 김구는 주민들에게 휘호를 써 주면서 감사의 뜻을 전달했다.

한편 김구는, 자신이 48년 전 쇠실마을을 떠날 때 붓 주머니를 선물했던 선계근이 생각났다. 다음은 『백범일지』의 내용이다.

김광언 가옥에서의 김구(1946.9.22.)

보성에서 열린 환영회(1946.9.22.)

그중에 또 잊지 못할 한 가지 사실이 있다. 다름 아닌 48년 전 동갑 되는 선씨 한 사람이 있어, 나와 격의 없이 지내다가 내가 그 동네를 떠날 때, 그 부인의 손으로 만든 필낭筆囊 하나를 작별 기념으로 내게 주었던 일이 눈에 선하다. 그 선씨에 대해서 물으니 "선씨는 이미 세상을 떠났고, 그 부인과 가족은 보성읍 부근에 거주합니다. 그 노부인 역시 옛일을 잊지 않고 지금 가시는 보성읍으로 마중 나온다 합니다."고 소식을 전했다.

그날 그 동네를 떠나 보성읍에 도달하니, 과연 그 부인이 전 가족을 거느리고 마중 나온 광경은 참으로 감격에 넘치었다. 만나는 자리에서 나이를 물으니 나와 역시 동갑이라, 과거사를 잠깐 토론하고 헤어지는 예를 마치었다.

『백범일지』를 읽다 보면 감동적인 장면이 한둘이 아니지만, 필자는 이 대목이 가장 인상적이다. 40여 일 남짓 머물다 떠나는 생면부지 낯선 타지인에게 정성스럽게 만든 붓 주머니를 이별의 선물로 건네준 선씨 부부의 따뜻한 마음, 그리고 22세 꽃다운 나이 때 만난 동갑내기들이 48년이 지나 70대 노인이 되어 다시 만났을 장면이 떠올라서다. "그 부인이 전 가족을 거느리고 마중 나온 광경은 참으로 감격에 넘치었다"라는 짧은 구절이지만 서로에게 얼마나 가슴 벅찬 순간이었을까. 이들을 비롯한 쇠실마을 주민들이야말로 김구를 민족의 지도자로 키워 준 수많은 민초民草들이 아닐까.

함평 이동범 가옥

몸을 숨기던 곳
토굴과 다락방에서

함평군 함평읍 함평리의 이동범 가옥(전라남도 문화재자료 제
250호)은 20세기 초반에 건립되었다고 한다. 아들 이재혁이 대
를 이어 거주했는데 일부가 헐리고 현재는 1917년과 1929년에
지어진 사랑채와 문간채만 남아 있다. 사랑채 뒤편 안채는 원
래 7칸 겹집이었으나 1946년경에, 사랑채 동편 육모정六茅亭은
1984년경에 각각 헐렸다고 한다.

ㄱ자형인 사랑채는 2칸의 대청을 중심으로 왼쪽에 부엌을, 꺾어
진 부분은 오른쪽으로 1칸 다락을 드리면서 2개의 방을 배열했
다. 문간채는 정면 3칸, 측면 1칸의 팔작지붕이다. 중앙 칸을 출
입문으로 하여 왼쪽 1칸은 방, 오른쪽 1칸은 광으로 사용했다.

이동범 가옥 사랑채

육모정은 1925~1926년 현재 국도 23호선이 개설되면서 도로에 편입되었다. 이동범은 도로가 개설되기 전인 1924년에 육모정을 철거하여 매각하고, 사랑채 옆에 새로이 연못를 만들어 육모정과 같은 크기의 정자를 지었다. 이동범 가옥에서 1898년 도피 중인 김구가 보름가량 은신했다고 알려져 있다.

다시 찾은 함평

『백범일지』에는 이 시기 함평에서의 은신 생활에 대한 언급이 보이지 않는다. 이동범이 김구를 받아 준 이유가 궁금하나 추정할 길이 없다. 보성 김광언과는 '종친'이라는 명분이라도 있었지만 이동범과의 연결 고리는 오리무중이다. 어느 인터넷 사이트를 보니, 함평문화원장을 지낸 이현석 선생이 "이 진사(이동범)는 일제강점기에도 직접 독립운동을 하지는 않았지만, 독립군의 왕래가 있으면서 음으로 양으로 독립자금을 기부하는 등 우국지사"였으며, "이러한 관계로 타 지역에서 김구는 이 진사를 소개받고 함평에 도착하여 보름 남짓 기거하였던 것"이며, 김구는 목포로 떠날 때 "이 진사는 상당한 노잣돈을 김구에게 마련해 주었다"고 설명했다고 나와 있다. 김구는 낮에는 육모정 밑 토굴에서, 밤에는 안채 다락방에서 망을 보며 은신했으며, 식사는 새벽이나 밤중에 몰래 배달되었다고 한다.

함평 이씨 이동범은 삼천 석의 부호로, 중추원 의관과 만경군수, 은율군수 등을 지냈다. 그는 함평의 대지주로 8대에 걸쳐 부귀영화를 누려 온 명문의 외아들로, 덕망가인 그는 땅을 지키는 것으로 부富를 잇다가 해방 후의 토지개혁, 여순사건, 6·25전쟁을 겪으면서 맥이 끊긴 대지주의 한 명이라고 한다.

김구는 삼남 시찰 중인 1946년 9월 23일 함평을 방문했다. 다음은 『백범일지』의 내용이다.

광주를 출발하여 나주를 향하는 도중 함평군을 지날 때였다. 수많은 동포가 길을 막고 잠시라도 함평읍에 들러 달라고 소원하기에, 부득이 함평읍을 들러서 학교 광장에서 수많은 동포를 상대로 환영 강연을 마치고, 날이 저물어서야 나주읍에 도착했다.

이대로라면 김구는 당초 함평을 방문할 계획이 없었지만, 김재광, 이필중 등 함평 한국독립당 당원들의 요청에 따라 일정을 변경했던 것 같다. 그럼에도 그날의 강연 모습을 담은 사진을 보면 군중들은 미리 예고를 받은 듯이 질서 정연하게 운집해 있다. 『백범일지』는 이렇게 이어진다.

팔각정 이 진사 댁의 소식을 탐문하니 이 진사 댁은 함평읍인데, 아까 만세를 선창한 그이가 바로 이 진사의 둘째 아들이라고 했다. 그때서야 세월이 장구한 관계로 함평 이 진사 댁을 나주로 혼동한 것을 깨달았다. 함평군 함평면 함평리의 이재혁, 이재승 등은 이 진사의 손자들이다. 이들이 얼마 후에 예물을 휴대하고 서울로 나를 찾아왔기에, 나는 그때 착각한 사실을 솔직히 사과했다.

김구는 이동범 가옥이 함평이 아닌 나주에 있는 것으로 착각했으며, 이 진사의 아들들을 손자들로 착각하였다. 이동범의 둘째 아들 이재승이 앞에서 만세를 선창했지만 그가 누구인지 몰랐던 것이다. 하지만 이날 김구는 과거 육모정에서 담소를 나눈 '김씨'를 찾았으나 사망한

후였다고 한다. 이것이 사실이라면 함평과 나주를 혼동했다는 것이 어색해진다. 당시 강연회에 참석했던 함평문화원장 이현석 선생의 다음 증언도 참고가 된다.

> 하얀 두루마기를 입고 살찐 얼굴에 육덕이 좋으며, 둥그런 안경에 얼굴이 동글던 백범이 학교의 현관에서 나와서 연단은 없었는데, 큰 소나무 옆에 있던 계단에서 마이크를 설치하고 연설을 하였다. 당시 백범이 옛 감회를 술회하시자 청중들이 호응하면서 박수를 치더라. 그때 앞에서 환호하면서 태극기를 흔들던 이재승, 이재혁 등의 손을 잡고서 즐거워하시더라. 또한 백범이 이재승 씨 등에게 "이군 집에 유숙한 생각이 절로 난다"고 하였다.

이동범의 첫째 아들 이재혁은 1920~1930년대 일제강점기 함평청년회 회장, 함평학무위원, 동아일보 함평지국장, 민립대학설립 함평군 부조직집행위원장, 도평의원, 도의원, 함평군사연맹 회장, 동아일보 창간 발기인 등을 지냈으며, 해방 후 함평군 건국준비위원장을 맡기도 했다. 둘째 아들 이재승은 1920년대 함평흥산조합장을 지냈다. 형제 모두 함평의 지도급 인사였다.

함평문화원장 이현석 선생에 따르면, 김구의 아들 김신이 함평 이동범 가를 두 차례 방문했으며, 두 번째 방문 때는 경찰들이 보초를 섰고, 이후에도 왕래를 계속했다고 한다. 또 1946년 김구가 이재승을 경교장으로 초청했다고 한다. 이는 앞서 『백범일지』에서 "이들이 얼마 후에 예물을 휴대하고 서울로 나를 찾아왔기에, 나는 그때 착각한 사실을 솔직히 사과했다"는 대목과 일치한다.

김구를 품어 준 함평의 이동범은 덕망가란 평판을 받았다. 사실 이런 평판이 얼마나 진실에 가까운지는 따져 볼 필요가 있다. 일제강점기 신문에는 대지주들의 선행 기사가 많이 실렸는데, 실제 그 지역에서의 민심과는 거리가 있는 경우도 적지 않기 때문이다.

그럼에도 이동범은 도피 중인 김구에게 은신처를 제공했고, 목포로 떠나는 그에게 여비까지 주었으며, "독립군의 왕래가 있으면서 음으로 양으로 독립자금을 기부하는 등 우국지사"란 증언이 사실이라면 '노블레스 오블리주Noblesse Oblige'란 표현을 써도 좋을 것이다. 가진 사람, 배운 사람들의 사회적 책임이 더 강조되고 있는 이때, 함평 이동범의 사례는 우리에게 잔잔한 감동을 준다.

함평에서 열린 환영회 (1946.9.23.)

광주 대성국민학교와
광주여자중학교

환영회와 강연회

광주에서 역사가 깊은 초등학교를 꼽으라면 남구 서동의 대성 초등학교가 떠오른다. 1938년 서정공립심상소학교로 개교했으니 80년의 역사를 가진 셈이다. 필자가 가끔 이 학교 근처를 지나갈 때 관심이 가는 것은 역사가 길다는 이유 때문이 아니다. 이곳에 김구의 자취와 흔적이 남아 있어서다.

1946년 9월 24일 함평과 나주에 이어 광주를 방문한 김구는 약 3000명의 군중이 모인 가운데 대성국민학교 운동장에서 연설했다. 광주에서의 첫 일정이었다. 김구가 해방 이전 광주를 방문한 기록은 보이지 않는데, 초행일 수도 있다. 당시 한독당 전남도당 위원장 신순언과 조직부원 박상기가 김구를 수행했다.

대성국민학교의 환영식

김구의 삼남 지방 순시에는 한독당의 정비를 위한 목적도 있었다. 그런데 광주 대성국민학교에서의 환영회는 주객이 전도되어 있었다.

한독당 조직부원으로 활동하며 광주 방문 당시 김구의 경호를 맡았던 박상기는 1946년 9월 24일 대성국민학교에서 열린 '김구 선생 환영 기념 강연회' 모습을 이렇게 회상한다.

> 소위 내빈석이라는 곳에 앉아 있는 사람들을 가만히 보니 거의가 한민당 사람들뿐이야. 오히려 주빈이 되어야 할 한독당 준비위원들은 내빈석 가장자리에 몰려 앉아 있었어. 그러니 김구 선생께서 내색은 않으셨지만 그 심사가 어떠했겠나. (『광주전남현대사①』, 실천문학사, 1991, 306쪽)

한민당 전남도당은 1945년 11월경 결성되었고, 1946년 1월경에는 당비를 납부하는 당원만도 4000명에 이르렀다. 한민당 광주부당도 1946년 2월에 조직되었다. 하지만 김구의 방문 당시 한독당 전남도당과 광주부당은 정식으로 결성되기 전이었다. 앞서 5월 같은 장소에서 열린 이승만의 강연회에는 6000여 명이 운집했다고 한다. 원래 군중 집회의 참가 인원은 들쑥날쑥이기 십상이지만, 기록만을 보면 김구의 환영회는 그 절반 수준이었다. 그러니 이런 현상이 나타난 것도 당연

未光金九先... 合 四二八・十・一

광주에서 연설하는 김구(1948.10.1.)

광주 대성국민학교의 최근 모습

했다. 어쩌면 김구는 이 환영회에서, 한독당의 미래가 결코 순탄치 않으리라는 예감을 하지는 않았는지 모르겠다.

광주여자중학교

일제강점기에 세워진 명문학교들이 광주에도 여럿이다. 광주고등보통학교(현재 광주제일고등학교)와 광주여자고등보통학교(현재 전남여자고등학교)에는 주로 조선인 학생들이 다녔다면, 일본인 학생들은 주로 광주중학교(현재 광주고등학교)와 광주고등여학교(현재 광주여자고등학교)에 다녔다. 이들 중 광주고등여학교는 1946년 광주여자중학교로 개편되었다가 1951년 다시 광주여자고등학교로 개칭되었는데, 1948년 김구의 환영회가 이곳에서 열렸다. 원래 위치는 동구 장동이었으나 2010년 현재의 서구 화정동으로 이전했다.

1948년 10월 1일 광주를 방문한 김구는 광주극장에서 열린 삼균학사 개소식 참석, 전남방직공장 시찰, 관음사에서의 기자회견 등 바쁜 일정을 소화했다. 이날의 마지막 공식행사가 바로 광주여자중학교 강당에서 열린 환영회 참석이었다. 다음은 관련 기사이다.

> 김구 선생의 환영회는 지난 1일 오후 5시 반부터 부내 광주여중 강당에서 김구 선생 참석하에 개최되었는데 노석정 씨 사회로 개회되어 국민의 예를 마친 다음 광주여중 선생, 생도 일동이 보내는 꽃다발을

그 여중 4년생 김덕희 양이 증정하고 환영위원장 이은용 씨의 당파를 초월한 우리 민족의 지도자 백범 선생을 환영하자는 뜻깊은 환영사가 있은 후 김구 선생의 우리 민족에 이익 되는 일이라면 물과 불을 가리지 않고 뛰어갈 용기가 있다는 뜻의 간곡한 말에 이어 광주여중생들의 합창·독창·무용이 있은 후 같은 8시쯤 성황리에 폐회되었다. (『호남신문』 1948.10.3.)

　5시 반에 시작되어 8시에 끝났으니 무척이나 긴 환영회였다. 70대에 접어든 노정객老政客에게는 무척 힘든 하루였겠지만, 그래도 꽃다운 학생들의 합창·독창·무용을 듣고 보면서 심신의 피로를 풀었을 수도 있겠다.

광주여자중학교

전남방직공장, 관음사
광주극장,

요즘 대부분의 극장은 복합 상영관이다. 1편의 영화만 상영하는 이른바 단관 극장은 찾아보기 어렵게 된 지 오래이다. 그런데 광주에는 상영 스크린이 하나뿐인 단관 극장이 있다. '광주극장'이다. 광주극장은 1935년 10월 1일 개관했다. 80년 역사이다. 같은 날 "부府로 승격하는 광주시민의 시대적 요구에 따라" 신축되었다는데 "국민의 시대적 요구"가 반영되었을 리는 없다. 공사비는 7만 5000원, 400평 규모의 1·2층 건물로 수용인원은 1200명의 "조선 제일의 대극장"이었다고 한다.

노투사의 외침

    광주극장 개관으로부터 정확히 13주년이 되는 1948년 10월 1일 오전 9시 30분 김구는 광주극장을 방문했다. 영화 관람을 위해서가 아니라 삼균학사 개소식에 참가하기 위해서였다. '삼균三均'은 조소앙(趙

素昻, 1887~1958)이 1930년대에 제창한 이념으로 "정치의 균등화, 경제의 균등화, 교육의 균등화"를 뜻하며, 임시정부와 한독당의 정강과 정책에 큰 영향을 주었다. 따라서 김구의 개소식 참석은 한독당을 지원하기 위한 것이었다. 삼균학사라고 해 봐야 변변한 공간이 아니었을 테니 광주극장을 대관한 것이리라. 이날의 모습과 김구의 강연은 다음과 같았다.

전남 삼균학사 개소식은 지난 10월 1일 오전 10시 광주극장에서 민족의 지도자 백범 김구 선생 및 김학규 장군을 맞이하여 장내외에 운집한 군중 참석하에 성대히 거행되었다. 식은 식순에 따라 국기경례, 순국열사에 대한 묵상, 애국가 봉창에 이어 신순언 씨의 개회사에 이어 장내의 물 샐 틈 없이 모여든 군중의 박수갈채리에 등단한 노투사 김구 선생은 마이크 앞에 서서 요지 다음과 같은 훈화를 하여 수만 군중의 가슴을 뜨겁게 하였다.

내가 여기 오게 된 것은 삼균주의三均主義로써 오직 남북통일 국가를 건설하자는 젊은이들의 도장에 참례한 것이다. 다 같이 단군의 피를 받은 우리의 배달민족은 지금 분열된 남북에서 남녀노소가 다 같이 남북통일을 갈망하고 있다.

조국을 바로 찾자던 힘찬 젊은 동지들이여! 우리는 총칼보다 더 무서운 무장을 해야 한다. 총칼보다 더 무서운 무장이란 정신무장이다. 총칼을 무서워하지 마라. 총칼보다 더한 정신무장이 있다. 정신무장을 가진 민족은 향상하는 빛난 민족이 될 것이며 그렇지 않은 민족은 향상을 보지 못할 것이다.

나는 조선에 돌아와서 중국에서 걱정하기보다 우리 민족이 어떠한 다른 동양인보다도 동방예의지국의 사람으로서 가장 아름다운 전통을 살리고 있는 것을 보았던 것이다. … 38선은 군대가 군사상의 필요상에 의하여 조선을 해방시켜 준다는 미명으로 마음대로 만든 선이지 우리가 만든 것은 아니다. 그런데 어떠한 신사들은 간혹 군대 10만 명만 양성하면 북조선을 정복시키고 남북을 통일시킬 수 있지 않느냐고 주장하는 사람도 있는데 이러한 사람이 우리 민족의 반역도배가 아니고 무엇이냐! 우리의 총칼로 우리의 아버지, 아들, 손자들을 죽이란 말인가? (『호남신문』 1948.10.2.)

시종일관 김구는 '남북통일', '정신무장'을 강조하며 이승만의 북진통일을 정면으로 비판했다. '노투사'는 '젊은이'에게 평화통일을 호소했다. 이날 강연회는 "극장이 무너질 듯 힘차게 부르짖는 남북통일 정부 수립 만세 삼창으로 폐회"했다.

그날의 열기가 얼마나 뜨거웠는지 짐작할 길은 없다.

그해 8월과 9월 남북한에서 각각 단독정부가 수립되었으니 김구의 실망감과 허탈감은 이루 말할 수 없었을 것이며 한독당의 분위기 역시 마찬가지였으리라. 그럼에도 '노투사'는 좌절하지 않고 심기일전에 나섰다. 그리고 '젊은이'들에게 평화통일을 호소했다.

"정치의 균등화, 경제의 균등화, 교육의 균등화", 너무도 당연한 이 명제를 실현하기 위해 희생되었던 수많은 이들을 생각하며 새삼 옷깃을

여민다. 그리고 평화통일의 그 순간까지 광주극장의 건재를 기원한다.

전남방직공장

현재 광주를 대표하는 산업체를 꼽으라면 단연 기아자동차이다. 일제강점기에는 전남방직의 위상이 그러했다. 현재 북구 임동의 전방이 그 후신이며, 오랜 역사를 가진 섬유제조업체이다. 명성이 예전 같지는 않지만, 인천·천안·시흥·익산과 중국·인도 등지에 공장을 세우고 꾸준히 발전을 거듭하고 있다.

전남방직의 전신은 1935년 북구 임동에 설립된 '가네보방적'이다. 설립 당시 공장은 3만 5000추, 직기 1440대, 종업원 3000명의 국내 최대 규모였다. 흔히 '종연방적'이라 불렸다. 종연방적은 화순탄광을 인수하는 등 다각적 경영을 펼쳤으며, 전쟁 시기에는 군수공장의 역할을 담당했다.

해방 후 노동자들이 자주관리위원회를 조직하고 전남방직으로 개칭하여 스스로 운영을 하려 했으나, 미군정은 종연방적의 관리 책임자로 미군정 통역관 출신인 김형남을 임명했다. 그는 1951년 정부의 적산 불하 방침에 따라 대한해운공사 사장을 지낸 김용주, 대한제분 창업자 이한원 등과 함께 컨소시엄을 구성하여 전남방직을 인수하여 1953년 설립등기하였다. 1961년 김용주는 전남방직을 유지하고 김형남은 새로이 일신방직을 설립하면서 두 회사는 분립되었다.

전남방직공장을 방문한 김구(1948.10.1.)

김구는 1946년 9월 24~26일 광주를 방문했는데, 이 기간 중 전남방직을 시찰했다고도 알려져 있으나 자료로써 확인되지는 않는다. 이듬해인 1948년 10월 1일 광주극장에서 열린 삼균학사 개소식에 참석한 후 김구는 "전남방직공장 발전소를 시찰"했다. 김구의 삼남 시찰 일정에서 산업체를 방문한 것은 거의 유일한 사례가 아닐까 싶다.

그런데 김구의 방문 기사는 다음에서 보듯이 매우 소략하다.

> 지난 1일 전남 삼균학사 개소식에 임석한 김구 선생은 전남방직 공장 발전소를 시찰한 후 그날 오후 3시부터 부내 관음사에서 재광기자단을 접견 … (『호남신문』 1948.10.3.)

김구는 1946년 9월 광주 방문 때도 전남방직을 시찰했는데, 당시 사진은 남아 있으나 이에 대한 기사는 찾기 힘들다.

도심 속 사찰, 관음사

'관음사'란 명칭의 사찰은 전국에 무수히 많다. 광주에만도 5곳이 넘는 것 같다. 대체 어느 '관음사'인지 찾아보니 뜻밖에 번화가인 충장로에 자리 잡고 있다. 광주극장과 가까운 거리이며, 여러 번 지나가 본 적이 있는 곳이다. 으레 사찰이라면 산중에 있으려니 생각했는데 위치가 도심 한복판이다.

왜 그동안 몰랐을까. 그럴 만도 했다. 법당은 건물 2층에 있고 1층에는 신협이 있다. 바깥에서 보면 이 건물이 사찰인지, 2층에 법당이 있는지 웬만해서는 알 길이 없다. 건물 모습도 사찰과는 거리가 한참 멀다.

관음사는 1916년 일본인 엔도 신가이 스님에 의해 '광종사'라는 명칭으로 창건되었다. 고려 시대나 조선 시대에 창건된 사찰에 견줄 바는 아니나, 그래도 100주년을 넘긴 고찰古刹이다. 해방 후 석파 스님이 '관음사'로 개창했고, 장조 스님, 만암 스님, 봉하 스님 등 큰스님들이 주석하며 전법 도량으로 발전했다. 1962년 사찰에 보문유치원을 개원했고, 호남 최초로 불교 학생회와 청년회, 신협 등을 설치했으며, 다양한 기도정진 프로그램과 불교교실, 불교대학, 명상법회 등으로 불교교육에 노력하고 있다.

관음사

1948년 10월 1일 광주를 방문한 김구는 광주극장에서의 삼균학사 개소식 참석과 전남방직공장 사찰에 이어 관음사에서 재광기자단과 접견했다. 이날 기자회견에서 김구는 국내외 정세에 대한 의견을 다음과 같이 밝혔다.

1. 진공眞空기간의 치안문제에 대하여 – 미소 양군은 즉시 철퇴하고 진공기간에 혼란을 방지하기 위하여 유엔은 남북을 통한 임시통일의 행정기구가 성립될 때까지 남북에 기존旣存한 무장조직을 관할하고 전국적인 치안유지의 통일공작에 적극 협력해야 할 것이다.

2. 자유민주통일 독립정부의 수립에 대하여 – 유엔은 거년去年 11월 14일 총회에서 결정된 바와 같이 남북을 통하여 절대적인 자유 분위기 속에서 전국총선거를 실시하여 이로 하여금 자주민주통일 독립정부를 수립해야 한다.

3. 남북정권에 대한 태도 – 현금 남과 북에 수립된 정권은 현실상의 행정부일 것이다. 그러나 3000만 동포들은 영토의 통일과 민족의 통일된 완전자주 독립정부를 갈망하고 있다.

4. 조소앙 씨 한독당 연설에 대하여 – 조소앙 씨는 좀 더 가기 쉽고 동행이 많은 길을 찾으려고 고생하고 있는 것 같다. 그러나 한독당 노선은 정당하다고 믿기 때문에 지난 29일 만류차 방문한 일도 있다.

5. 한미협정에 대하여 – 북에서도 중국 팔로군과 무슨 협정이 성립되었다고 듣고 있다. 남북을 막론하고 우리 주권을 침해하는 국제협정은 우리 3000만이 필사적으로 반대할 것이다.

6. 미국의 일본 재무장 문제 - 미국은 소련의 남하세력을 방지하기 위하여 일본의 재무장을 꿈꾸고 있는 것 같다. 이는 한말 당시에 영국의 대일정책과 제1차 세계대전 직후의 영국이 취한 대독정책의 재판이라고 보지 않을 수 없다. 이에 대해서는 중국은 물론이요, 태평양 각국에서 어느 나라 치고 반대하지 않은 나라가 없을 뿐만 아니라 미국과 동일보조를 취하여 오는 영국에서도 반대하고 있다. 소위 '양호위환養虎爲患'이란 말은 여기에 마땅히 적용될 것이다. 미국에서 일본을 재무장하는 것은 미국 자체의 고충도 있겠지만 일본을 재무장하는 것보다는 자기네의 우방 각 민주국가를 원조함이 도리어 타당한 일일 것이다.

7. 친일반역자 처리문제 - 우리 동양의 정치윤리는 무엇보다도 대의명분을 많이 주장한다. 이 대의명분과 민족정기를 내세우지 않고서는 민족질서와 혁명기율은 바로잡지 못할 것이다. 이러한 의미에서 우리 민족의 반역친일분자들은 그대로 둘 수 없다는 것이다. (『호남신문』 1948.10.3.)

김구는 이승만 정부를 "현실상의 행정부"로 인정하기는 했지만 여전히 1947년 유엔의 결정에 따른 '전국총선거'를 통한 '영토의 통일과 민족의 통일된 완전자주 독립정부를 갈망'하고 있었다. 그러면서 미국의 일본 재무장 정책을 경계했고, '민족정기·민족질서·대의명분'을 위한 친일파 문제 처리를 강조했다. 김구가 삼남 지방을 시찰하며 밝힌 견해 중 국제 문제에 대한 것으로는 가장 구체적인 것이 아닐까 싶다.

'자주통일'의 과제

번화가 충장로의 광주극장과 관음사를 김구가 방문했다는 사실을 필자도 이전에는 알지 못했다. 두 곳에서의 강연은 내용이 약간 다르지만 공통점은 '자주통일'을 강조했다는 것이다. 안타깝게도 이 문제는 1948년 김구의 광주 방문 70주년이 된 이 시점에도 여전히 미완의 과제로 남아 있다.

친일파들이 대부분 세상을 떠났지만 그들은 역사의 심판조차 받지 않았고, 수구 세력은 오히려 그들을 근대화의 선구자로 떠받들고 있다. 일본의 재무장 문제도 과거사가 아니다. 김구가 경고한 대로 미국은 일본의 재무장을 방조하며, '양호위환養虎爲患', 즉 호랑이를 길러 근심을 키우는 정책을 펴고 있다.

김구가 꿈꾸었던 조국의 모습은 아직도 요원하기만 하다. 그 해결의 책임은 김구를 존경하며 그처럼 살고자 하는, "영토의 통일과 민족의 통일된 완전자주 독립정부를 갈망"하는 이들의 몫이다.

광주 백화마을

서울 효창동에 백범김구기념관이 있다면 광주 학동에는 광주 백범기념관이 있다. 전국에서 백범기념관은 이 두 곳뿐이다. 광주에서 '학동사거리'라면 서울의 '종로 네거리'만큼이나 유명하다. 중심지도 번화가도 아니고 특별한 그 무엇이 있는 것도 아닌데 말이다. 학동은 광주의 변두리이며 서민들의 거주지였다. 그런데 2010년대에 들어와 주거환경 개선사업이 진행되면서 학동의 모습도 하루하루 달라지고 있다. 그러던 중 2011년 학동 역사공원이 조성되고 그 옆에 2015년 광주백범기념관이 건립되었다. 마치 서울 백범김구기념관 옆에 효창공원이 있듯이 말이다. 기념관 입구에는 인자한 모습의 김구 동상이 우뚝

광주백범기념관 입구에
세워진 김구 동상

백범 김구 선생
(1876. 8. 29 - 1949. 6. 26)

서 있고, 내부에는 김구의 일대기와 광주 방문 관련 자료들이
전시되어 있다. 공원 담장에는 각종 어록들이 새겨져 있다. 해
방 후 환국한 김구는 전국 각지를 순회했다. 광주도 1946년과
1948년 두 차례 방문했다. 그런데 1946년의 방문은 마을 하나
가 새롭게 조성되는 계기가 되었다. 바로 '백화白和마을'이다.

전재민을 위하여

함평과 나주 방문에 이어 김구는 1946년 9월 24일 광주에 도착하였다. 대성국민학교와 광주중앙교회에서 강연했고, 광주 출신 한국광복군과 애국부인회 광주지부 회원들과 환담했으며, 서중학교에서의 환영대회에 참석했다.

대성국민학교에서의 강연회 때 광주부윤(시장) 서민호가 환영사를 했는데, 이를 들은 김구가 크게 감동했다고 한다. 특히 광주에는 해방 후 고국으로 귀환한 전재민이 많다는 말을 듣고 가슴 아파했는데, 천변川邊 일대의 빈민들의 참상을 본 것도 작용했다고 한다. 이에 김구는 자신이 여기저기서 받은 각종 선물들을 회사했다. 다음은 『백범일지』의 내용이다.

> 그곳[보성읍]에서 환영과 강연을 마친 후 보성을 떠나 광주까지 가는 사이에 환영은 이루 언급하기조차 어려울 정도였다. 역로마다 수많은 동포들이 대기·환영하니, 어떤 날은 3, 4차를 경유한 적도 있었다. 이로부터 며칠 후 광주에 도착하여 보니, 도처에서 동포들이 주는 각종 기념선물·해산물·육산물·금품 등을 종합한 것이 차에 가득 찼다. 광주에 전재민이 많다는 말을 듣고 부윤을 초청하여, 다소간 전재민을 돕는 데 보태어 쓰라고 주고 광주 환영회를 마쳤다.

비슷한 내용이 『대한독립신문』 1946년 10월 12일 자, 「인정 많은 김구 선생」에도 다음과 같이 실려 있다.

> 조국해방의 기쁨을 한아름 안고 꿈속에도 그려 보던 고국으로 돌아오
> 나 따뜻한 손길 없는 전재동포를 위하여 김구 선생께서 손수 보내신
> 거룩한 미담 – 김구 선생은 지난 9월 14일 서울을 떠나 경남·전남 일
> 대 민정시찰차로 10월 4일까지 약 20일간 순시하던 중 눈물겨운 미담
> 이 본사에 알려졌다. 선생은 부산에 도착하자마자 그곳 전재동포수용
> 소를 방문하고 그곳에서 헐벗고 굶주려 사경에 빠진 동포들이 참상을
> 목도하고 즉석에서 금 1만 원을 희사하여 그곳 동포들의 뜨거운 눈물
> 을 흘리게 하였다. 그리고 그곳 유지들이 환영연을 베풂도 사양하며
> 그 비용으로 전재동포들에게 주라 격려하였으며 각지에서 받은 선물
> 도 약 40상자(광목·주단·지방선물)를 광주부윤에게 맡기어 전재동포
> 에게 적당히 분배하도록 일임하였다. 그리고 진주에 5000원, 군산에 1
> 만 2000원을 적빈자를 위하여 하사하여 임정 김구 선생에 대한 감사
> 가 남선 방방곡곡에 끓어오르고 있다 한다. (『대한독립신문』 1946.10.12.)

여기를 보면 김구는 이미 부산 도착 즉시 전재민수용소를 방문하여
1만 원을 희사하는 등 각지에서 전재민과 극빈자를 위해 금품이나 물
품을 희사했다. 광주에서의 미담도 그 같은 사례였다. 그리고 애초 의
도는 광주부윤에게 이 물품을 "전재동포에게 적당히 분배하도록 일
임"하는 수준이었다.

그런데 서민호는 그대로 실행하지 않고 대신 광주 유지들을 불러 모

광주를 방문한 김구 (1948.10.1.)

아 놓은 후 이 물품 중 마음에 드는 것 하나씩을 선물로 주면서 대신 현금을 기부받았다. 선물 목록은 광주시청에 근무하던 "광주 현대사의 산증인" 박선홍이 작성했다고 한다. 이렇게 마련된 기금으로 학동에 전재민을 위한 촌락을 조성한 것인데, '백 가구가 화목하게 살라'는 뜻에서 '백화百和마을'로 불렸다고 한다. 그 이름을 김구가 지었다고 알려져 있는데, 그가 광주에 5일간 머물렀으므로 그랬을 개연성도 있다.

이리하여 학동 갱생촌의 850평의 땅에 4~4.5평짜리 100여 가구 공동체가 조성되었다. 13가구가 함께 사는 건물 8채로 이루어진 이 마을의 골목은 손수레도 들어가지 못할 정도로 좁았다. 방 한 칸에 부엌 한 칸이 딸린 비좁은 가옥이었고 화장실은 공동 사용했다. 한 지붕 아래 여러 가구가 마치 마굿간처럼 나란히 붙어 있다 해서 '말집'이라고도 불렸다. 하지만 오갈 데 없는 전재민들에게는 세상 부럽지 않은 소중한 안식처였다.

소외된 주민들의 안식처

학동에는 이미 1920~1930년대에 천변 일대 빈민들의 집단거주지가 조성되었다. 이곳은 '학동팔거리'로 불렸는데, 일제가 광주천을 정비하면서 천변 움막집에 살던 빈민들을 집단 이주시킨 것이다. 마을 가운데로 들어가면 작은 광장이 나오고, 그 광장은 다시 여덟 갈래 방사선 모양 골목길로 이어지며, 그 길로 다시 가다 보면 같은 방사선 모양의 또 다른 광장이 나오는 구조이다. 주민들을 강제 노역에 동원시키고 감시하기 위해 만들어져 흡사 '팬옵티콘(원형감옥)'을 연상시킨다. 일본의 욱일기 모양을 본떴다는 일설도 있다. 지금은 역사의 뒤안길로 사라졌으나, 마을 전체가 방사선 형태로 조성된 곳은 학동팔거리가 유일했다고 한다. 전재민들이 이곳을 떠나면 피난민이나 철거민 들이 그 자리를 채우면서 100여 가구가 유지되었다.

1991년 주거환경 개선지구로 지정된 백화마을에는 1992년 165가구를 수용하는 15층짜리 아파트 1개 동이 건립되었고, 백화지구 개발 사업의 일환으로 2011년 797가구를 수용하는 아파트 단지가 조성되면서 옛 모습은 완전히 자취를 감추었다. 그리고 대부분의 원주민들은 새 아파트에 입주하지 못하고 뿔뿔이 흩어졌다. 마을을 지키던 당산나무도 사라졌다. 이후 김구와 백화마을의 소중한 인연을 기념하기 위해 2011년 광주시와 동구청이 역사공원을 조성했고, 2015년 백범문화재단이 광주백범기념관을 건립했다.

'의향義鄕'을 자처하는 광주는 광주백범기념관 건립과 역사공원 조성으로 소중한 역사문화자원을 더하게 되었다. 전국에서 최후로 일제와 항전했던 호남의병, 항일운동의 전환점이 된 광주학생운동, 민주화를 견인한 5·18민주화운동의 고장 광주는 민족의 사표師表 김구를 지역 현대사에 접목시킨 것이다.

문제는 '백화마을'에 담긴 김구의 뜻이다. 백화마을 일대에 우뚝 솟은 고층 아파트들이 소외된 계층에게 '그림의 떡'이라면, 40상자의 선물을 전재민을 위해 선뜻 희사한 김구의 뜻은 더 이상 찾아볼 수 없다.

도시개발 자체가 잘못된 것은 아니나, 적어도 백화마을에 담긴 역사적 의미는 사라진 것 같다는 말이다. 차라리 서민들을 위한 '벌집' 같은 보금자리 아파트가 '말집'들을 대신했다면, 광주백범기념관과 역사공원이 좀 더 의미 있게 느껴지지 않았을까.

무등산 오방정

증심사 계곡을 따라 무등산을 오르다 보면 의재미술관을 만나게 된다. 남종화의 대가 의재毅齋 허백련(許百鍊, 1891~1977)을 기리며 2001년 개관한 시립 미술관이다. 그 맞은편 언덕에는 허백련이 1956년부터 1977년 사망할 때까지 기거하며 작품 활동을 한 춘설헌春雪軒,(광주광역시 기념물 제5호)이 자리 잡고 있다. 『25시』의 작가 게오르규가 방문했다 하여 유명세를 타기도 한 곳이다.

원래 이 가옥은 민족주의 언론인으로 동아일보 편집국장을 지낸 최원순이 신병을 치료하며 요양했던 별장으로, 당시 명칭은 그의 아호를 딴 석아정石啞亭이었다. 최원순은 이 가옥을 기독교 목사이자 독립운동가인 인척 오방五放 최흥종(崔興琮, 1880~1966)에게 인계했는데, 1956년 허백련이 다시 인수한 것이다. 이후 건축가이자 서예가인 남용 김용구가 방 두 개에 마루가 있는 가옥으로 설계했고, 소암 현중화가 '춘설헌'이란 현판 글씨를 썼다. 현재 가옥 명칭은 '허백련 춘설헌'이며, 유서 깊은 '석아정'과 '오방정' 현판은 의재미술관에 전시되어 있다. 1948년 10월 3일, 김구가 이 가옥을 찾았을 때 명칭은 '오방정'이었다. 오방 최흥종을 만나러 온 것이다. 72세 노인에게 이 등정은 무척 힘겨운 것이어서 김구는 숨을 헐떡였다. 1938년 중국에서 저격을 받아 가슴에 박힌 탄환이 그를 더욱 괴롭혔다. 그 때문에 정병현과 주봉식이 교대로 김구를 업고 올라갔다고 한다. 지금이야 등산로가 잘 갖추어져 있지만 당시에는 말 그대로 산길이었을 테니 고생이 이만저만이 아니었을 터이다. 아마도 김구의 삼남 시찰 중 가장 힘든 일정이었을 것 같다. 이렇게 하면서까지 김구가 만나려 한 최흥종이란 인물은 누구인가.

무등산의 은자

사실 최흥종은 전국적으로 유명한 인물은 아니다. 하지만 광주·전남에서 그는 '전설'을 넘어 '신화'가 된 인물이다. 기독교 목사였지만 그의 활동 영역은 종교계에 국한되지 않았다. 그를 빼놓고는 광

오방정(석아정)의 기념비

주·전남의 민족운동과 사회운동을 설명할 수 없을 정도이다.

　최흥종은 1880년 전남 광주에서 출생했다. 20대 초반까지는 광주 일대에서 유명한 건달이었으며, 1900년대 순검을 지내기도 했다. 그러다 총순總巡 출신인 김윤수의 전도를 받고 선교사 유진 벨Eugene Bell을 만나 기독교인이 되었으며, 의료 선교사 포사이스W. H. Forsythe에게 감화를 받고 평생을 한센병 환자를 위한 사업에 헌신하게 된다. 1907년에는 광주의 국채보상운동을 주도하기도 했으며, 순검 시절 체포된 의병들을 몰래 탈출시켰다는 일화가 전설처럼 알려져 있다.

현재 광주기독병원의 전신인 제중원濟衆院에서 직원으로 근무하며 신학을 공부했고, 1910년 북문안교회에서 광주의 첫 장로가 되었다. 이후 1919년 3·1운동 때는 남대문 앞 만세시위를 주도하다 옥고를 치렀다. 1920년 6월 출옥 후 평양신학교에서 수학했고, 1923년에는 시베리아에서 선교사로 활동하기도 했다.

광주기독교청년회(YMCA)의 회장을 수차 역임했으며, 1927년 결성된 신간회 광주지회의 초대회장으로 추대되었다. 이 때문에 그는 일제로부터 '요시찰인물'로 지목되었다. 1929년부터 제주도 모슬포교회에서 잠시 사역했던 그는 1931년 광주로 돌아와 명망가들과 함께 조선나병환자근절연구회를 조직했다. 이 무렵 그는 자신의 아호를 '오방五放'이라 지었는데, 자료에 따라 달리 나오기는 하나 "가정에 대하여 방

오방 최흥종 목사

만放漫, 사회에 대하여 방일放逸, 사업에 대하여 방종放縱, 국가에 대하여 방기放棄, 종교에 대하여 방랑放浪"의 뜻이라고 한다. 1935년 광주중앙 교회 담임 목사로 부임한 그는 세브란스병원에서 거세 수술을 받았고, 1937년 사망통지서를 지인들에게 보낸 이후 오방정에서 칩거했다. 그를 형님으로 받들던 함석헌(咸錫憲, 1901~1989)이 최흥종을 '무등산의 은자'라 부른 것도 이 때문이다. 하지만 걸인과 빈민, 나환자 들을 위한 구호 활동은 중단하지 않았다.

해방 후 그는 전남건국준비위원회 위원장에 추대되었으며, 미군정 청은 그를 도지사고문회 회장에 선임했다. 서울 명동성당에서 열린 비상국민회의에 전남대표로 참석하기도 했다. 한국나예방협회를 조직했고, 음성나환자 정착촌인 호혜원과 결핵환자 요양소인 송동원을 설립했으며, 결핵환자 치료를 위한 백십자여명회를 결성했으며, 한국사회사업협회 위원장에 추대되었다. 현재 의재미술관 자리에 삼애학원三愛學院도 설립했다.

그는 이념 갈등이 거셌던 1920~1950년대 민족주의계열과 사회주의계열 모두로부터 존경을 받은 인물이었다. 신간회 광주지회장과 전남건국준비위원회 위원장에 추대된 점이 그것을 보여 준다. 그러던 그는 1964년 유언장을 작성·발송하고 1966년 단식과 절필을 선언했다. 그리고 같은 해 5월 14일 사망했다. 5월 18일 열린 그의 장례식은 광주 최초의 시민장으로 광주공원에서 거행되었다.

『도덕경』으로 이심전심하다

1948년 10월 3일 김구와 최흥종은 오방정에 마주 앉았다. 둘은 초면이 아니었을 것이다. 1946년 9월 24일 광주를 방문한 김구는 대성국민학교에서 강연했는데, 이 자리에는 최흥종과 허백련도 참석했다고 한다. 이어 김구는 중앙교회에서도 강연했는데, 최흥종이 중앙교회의 초대목사였으므로 여기서도 만났을 것으로 짐작된다.

이들이 오방정에서 과연 무슨 대화를 나누었는지에 대해서는 정확히 알려진 바가 없다. 다만 김구가 최흥종에게 자신을 도와 정치에 참여해 달라고 요청했을 것이라는 추측이 나돌 뿐이다. 이에 대해 소설가 문순태가 쓴 전기소설『성자의 지팡이』에서 다음과 같이 상상의 나래를 펼쳤다. 어디까지나 소설임을 감안하고 읽어 보자.

> 흥종을 만난 백범은 통일조국에 대한 꿈을 아직 버리지 않았다고 했다. 그는 대한 사람이 있고서야 민주주의도 공산주의도 있을 수 있다고 말하면서, 그가 이끄는 한국독립당을 기반으로 통일운동을 다시 시작하겠다고 말했다. 백범이 광주에 온 것은 한독당의 정비를 위해서였다.
> "지금이야말로 오방 같은 사람이 필요하오. 나와 손잡고 민족을 대동단합시키는 사업을 합시다. 광복이 되었다고는 하나, 우리가 언제 이런 광복을 바랐던가요? 이것은 온전히 광복이 아니라 반쪽 광복이 아니고 뭐겠소."
> 김구는 그러면서 함께 일할 것을 권했다.

"아닙니다. 저야 뭐 하나님만 믿고 의지하고 사는 사람이 아닙니까. 나 환자나 돌보면서 이렇게 무등산에 묻혀 사는 것이 좋습니다."

"나는 오방의 깊은 뜻을 알고 있소. 오방이 생각하는 이상향의 꿈을 알고 있단 말이오. 이상향을 실현시키자면 정치적으로 해결해야 할 일이 많소."

"저는 십여 년 전에 거짓된 삶을 청산하고 제 자신을 가정과 사회로부터 매장시키기 위해 스스로 사망 통고를 낸 사람입니다. 저에게는 아무 욕심이 없습니다. 다만 그리스도의 사랑을 실천하면서 사는 것이 소원입니다."

"오방의 고집은 못 꺾겠구려."

소설이기는 하나 그랬을 개연성은 충분하다. 한담이나 나누려고 김구가 바쁜 일정을 쪼개 그 고생을 자처하지는 않았을 것이기 때문이다. 이날 김구는 오방에게 화선지에 '화광동진和光同塵'이란 휘호를 써주었다. '자신의 지덕智德과 재기才氣를 감추고 속세와 어울린다'는 뜻으로, 노자의 『도덕경』에 나오는 구절이다.

상경한 김구는 며칠 후 역시 『도덕경』에서 인용한 붓글씨와 함께 편지를 오방에게 보냈다. 다음은 그 내용이다.

知人者智 自知者明 勝人者有力 自勝者强 知足者富 强行者有志 不失其所者久 死而不亡者壽大韓民國

남을 아는 자는 지혜롭고, 자신을 아는 자는 총명하다. 남을 이기는 자는 힘이 센 사람이며, 자기를 이기는 자는 참으로 강한 사람이다. 스스로 만족한 자는 부유하고, 힘써 행하는 자는 뜻을 가진 사람이다. 자기가 지킬 바를 잃지 않는 자는 영원하고, 몸은 죽더라도 도가 없어지지 않는 자는 영원히 살 것이다.

김구와 오방의 인연은 이것이 전부였지만, 서로 간의 존경심은 지속되었다. 1949년 6월 김구가 암살되었다는 소식을 들은 오방은 100일 동안 무등산을 내려오지 않고 침묵으로 일관했다는 일화도 있다.

2010년 창립 90주년을 맞아 광주(YMCA)와 오방기념사업회에서는 오방의 흔적이 남아 있는 춘설헌 입구에 '오방정(석아정) 기념비'를 세웠다. 무등산 등반객이라면 누구나 쉽게 마주할 수 있는 이 기념비 근처에는 김구의 자취도 묻어 있다. 조국의 앞날을 걱정하며 오방을 만나기 위해 노구를 이끌고 숨을 헐떡이며 산길을 오르던 김구의 모습을 그려 볼 만한 자리이다.

전주 김형진 가옥과 전주향교

김제 원평과 익산 김홍량 가옥

군산공설운동장

김용달

독립기념관 한국독립운동사연구소 소장

익산 이리여자고등학교
군산공설운동장
군산부두
호남제일성 전주성
전주장터
전주국민학교
전주향교
김제 원평
전주체육관
김제 중앙국민학교
전주 학인당

韓独党沃
大韓民國

군산공설운동장

김구가 군산을 방문한 것은 두 번이다. 한 번은 환국 후 1946년 가을, 처음으로 삼남 지방 순회에 나선 때이고, 다른 한 번은 1949년 봄, 한국독립당 군산특별지당부를 격려하고 옥구군당부의 설립을 축하하기 위해서이다. 사실 군산은 임시정부와 인연이 없지 않았다. 광복 직후 임시정부 요인들이 환국할 때, 비행기 사정으로 함께 들어오지 못하고 1차와 2차로 나뉘어 귀국하였다. 1차 환국은 김구 주석과 김규식 부주석 일행으로 1945년 11월 23일 김포공항을 통해 이루어졌다. 2차 환국은 홍진 임시의정원 의장과 조소앙 외무부장과 신익희 내무부장 일행으로 12월 1일 군산공항을 통해 이루어졌다. 당초 김포공

백범의 길 _____ 김용달

항으로 도착할 예정이었으나, 날씨가 좋지 않아 군산공항으로 도착한 것이다.

김구의 첫 번째 군산 방문은 1946년 9월 29일에서 30일에 걸친 이틀간의 일정이었다. 김구는 전남·광주 지역을 방문한 뒤, 9월 29일 익산을 거쳐 군산에 도착하였다. 이날 오전 군산에 도착한 김구는 엄항섭과 선우진 등과 함께 한국독립당 군산특별지당부 위원장 윤석구의 안내로 군산공설운동장으로 갔다. 여기서 김구는 구름같이 모인 수천의 군중을 대상으로 특별 강연을 하였다. 우리 민족의 자주독립을 고취하는 내용으로 사자후를 터트려 청중들을 사로잡은 것이다.

삼남 지방 순회

김구가 삼남 지방의 순회에 나선 이유는 여러 가지이다. 우선 생각할 수 있는 것이 국내 동포들에 대한 귀국 인사이다. 김구는 3·1운동 시기 중국 상하이로 망명한 뒤 대한민국임시정부를 이끌고 27년 동안 끊임없이 독립운동을 전개하였다. 그리고 천신만고 끝에 광복을 맞이하여 환국한 것이다. 미국의 반대로 비록 정부 자격으로 귀국하지는 못했지만, 김구는 엄연한 대한민국임시정부의 주석이었다. 임시정부 주석으로 김구는 그동안 돌보지 못한 국내 동포들에 대한 감회가 남달랐을 것이다. 일제강점기 온갖 신고의 나날을 보낸 국내 동포들을 직접 만나 노고를 위로하고, 임시정부의 활동을 보고하고 싶었던 것이 지방 순회의 이유 가운데 하나가 아닐까.

당시의 상황을 보면 또 다른 이유도 생각할 수 있다. 1946년 6월 3일 이승만은 정읍에서 "이제 우리는 무기 휴회된 (미소)공위가 재개될 기색도 보이지 않으며, 통일정부를 고대하나 여의케 되지 않으니, 우리는 남방만이라도 임시정부 혹은 위원회 같은 것을 조직하여 38이북에서 소련을 철퇴하도록 세계 공론에 호소하여야 할 것이다"는 주장을 폈다. 이승만은 이른바 '정읍 발언'으로 남한만의 단독정부 수립을 공개적으로 언급한 것이다.

이후 나날이 커져 가는 이승만의 단독정부 수립 노선에 대해 김구는 위기감을 느꼈음이 틀림없다. 평생을 독립운동에 투신해 왔던 김구의 입장에서 보면 국토 분단에 기초한 단독정부 수립은 묵과하지 못할 일이었다. 그래서 자주독립 통일민주국가 노선을 동포들에게 널리 알릴 필요가 있었다. 아마도 이것이 삼남 지방을 순회한 가장 큰 동기일 것이다.

군산에서 김구가 더욱 목청을 높인 이유가 있었다. 같은 해 6월 6일 정읍을 거쳐 군산을 방문한 이승만은 여기서도 단독정부 수립 주장을 거듭 피력했기 때문이다. 군산공설운동장에서 열한 살의 어린 나이로 친구와 함께 김구의 연설을 들었던 향토사학자 김양규 씨의 회고는 그런 정황을 잘 말해 준다.

입추의 여지도 없이 수천의 군중들이 빽빽이 들어찬 공설운동장에서 김구는 두 주먹을 불끈 쥐고 흔들어 대며 열변을 토했다고 한다. 뒤이어 연단에 오른 엄항섭도 두 팔을 내지르며 큰 소리로 연설하였는데, 나이가 어려 내용은 잘 기억나지 않지만 그 모습은 아직도 눈에 선하다는 말을 털어놓았다. 오죽이나 답답했으면 그때 그 시절 두 분이 그토록 목청을 높였겠는가 그 이유를 짐작하고도 남음이 있다.

군산부두를 찾다

군산공설운동장에서 연설을 마친 뒤, 김구는 군산 내항에 자리 잡은 부두로 나갔다. 지금 군산근대역사박물관과 진포해양테마공원, 그리고 부잔교(뜬다리)가 있는 해망로 일대 부두를 둘러본 것이다. 여기가 바로 일제강점기 조선의 미곡을 일본으로 실어 나른 식민 수탈의 현장이 아닌가.

1899년 군산 개항 이후 일제는 이곳을 조선 미곡의 반출항으로 삼았다. 군산은 위로는 금강, 밑으로는 만경강을 끼고 발달한 삼각주로 해운에 편리할 뿐만 아니라 간석지가 발달하였다. 더욱이 군산항 인근에는 옥구평야가 발달하고, 배후에는 만경평야와 김제평야 그리고 내포평야가 넓게 펼쳐져 있다. 일본인들이 토지를 점탈하여 미곡을 수탈하기에 알맞은 조건을 갖추었던 것이다. 그래서 한말에 이미 일본인 지주들이 군산농업조합을 조직해 막대한 토지를 집적하였고, 또 불이흥업주식회사와 조선흥업주식회사 등 일본인 식민농업회사도 수탈 농장을 개설하고 있었다. 특히 불이흥업은 금강과 만경강 하구의 간석지를 개척하여 옥구농장을 세우고, 여기에 일본 농민들을 이주시켜 이른바 '불이이상촌不二理想村'이라는 식민 수탈 기지를 만들기도 하였다.

　　김구는 한말 동양척식주식회사가 경영하는 북률농장이 있던 황해도 여물평 인근 보강학교에서 교장으로 봉직하며 식민 수탈의 현장을 직접 목격한 적이 있었다. 더욱이 안악사건으로 옥고를 치른 뒤, 한때 김홍량 집안 소유인 황해도 문화의 궁궁농장과 재령의 동산평농장에서 농감 생활을 한 적도 있었다. 그러니 일제의 미곡 수탈항으로 이름 높던 군산부두를 직접 보고 싶었을 것이다. 김구는 군산 내항의 부두 여기저기를 두루 살펴본 뒤, 순시선을 배경으로 해안경비대와 경찰, 그리고 소년군(보이스카우트)들과 함께 차례로 기념사진을 찍었다.

　　김구는 군산 방문 당시 전재민 구휼금으로 거금을 희사하였다. "김구 총리는 29일 상오 군산을 시찰하고 자주독립 전취를 고취하는 강연을 한 다음 전재동포들에게 현금 1만 5000원을 하사하였다"는 『동아일보』1946년 10월 15일 자 보도 기사가 그런 사실을 알려 준다.

다시 군산을 찾다

　　김구가 군산을 다시 찾은 때는 1949년 4월 19일부터 21일까지 사흘간이었다. 바로 전해인 1948년 4월 19일은 김구가 남북협상을 위해 경교장을 나선 날이다. 청년학생들의 만류에도 불구하고 분열이냐 통일이냐, 자주냐 예속이냐 하는 중대한 시기에 민족의 정의와 통일을 위해 남한 삼천만 동포가 막아도 자신의 뜻대로 하겠다는 비장한 결의

군산부두에서 보이스카우트와 기념 촬영한 김구 (1946.9.29~30.)

군산부두에서 해안경비대와 기념 촬영한 김구 (1946.9.29~30.)

를 표명하면서 이날 오후 3시 경교장을 나선 것이다. 서울을 떠나면서 김구는 남북협상의 목표는 오로지 통일임을 천명하였지만, 그 뜻을 이루지 못하고 남북한에서 각기 단독정부가 출범하고 말았으니 얼마나 회한이 남았겠는가.

남북협상 1주년이 되는 이날을 택해 김구는 다시 호남 방문에 나선 것이다. 그 첫 번째 발길은 군산으로 향했다. 4월 19일 오전 김구는 서울역에서 열차 서부해방자호를 타고 오후 6시 군산역에 도착하였다. 한국독립당 부위원장 조완구, 조직부장 김학규, 전북도당 위원장 이주상 등 일행과 함께 군산을 찾은 것이다.

김구는 남북협상 이후 외국군의 철퇴 없이는 자주적인 평화통일이 없다고 주장해 왔다. 이날에도 서울역을 출발하기 직전 남북협상 1주년을 맞이하여 김구는, "미소 양군 철퇴가 남북통일 협상에 진전이 된다"고 또다시 언급하였다. 이는 하루 전인 4월 18일 이승만 대통령이 특별 성명을 발표하여 미국정부와 주한미군 철퇴 문제를 교섭 중이라고 한 데 대한 견해를 밝힌 것이기도 하다.

4월 19일 오전 10시 30분 서울역을 출발한 서부해방자호가 대전을 지날 즈음 김구는, 열차 안에서 동행하던 연합신문 기자에게 1년 전 남북협상을 회고하며 평화통일을 다시 한 번 강조하였다.

김구가 군산을 찾은 데에는 또 다른 이유가 있었다. 정부 수립 이후 왕성하게 활동한 한국독립당 군산특별지당부를 격려하려는 것이었다. 군산당부는 1948년 6월에 결성 2주년 기념식을 거행하였고, 「세제 개정건의서」를 미군정장관과 재무부장에게 제출하는 등 활발한 활동

한국독립당 군산당부와 옥구군당부 설립 기념(1949.4.21.)

한국독립당 옥구군당부 결성 대회(1949.4.21.)

을 보였다.

군산에 도착한 김구는 다음 날인 4월 20일 오전 9시경 부둣가 금암동에 위치한 군산어업조합을 방문하여 연설한 뒤, 조합의 어류 판매 상황을 시찰하였다. 그리고 연합신문, 자유신문, 호남신문, 군산신문 등 기자단과 회견하면서 평화통일을 위한 조직적 국민운동 전개를 주장하고, 미소 양군의 철퇴를 요구하였다. 아울러 학대받고 있는 재일 한인동포의 안전보장을 물심양면으로 도와야 한다고 주장하였다.

이날 4월 20일 오후 2시부터는 군산공설운동장에서 다시 강연을 하였는데, 평화통일을 위한 국민운동의 필요성을 역설하는 내용이었다. 이런 김구의 지방 순회 유세에 이승만 정부는 신경을 곤두세웠다. 김구의 강연이 정부를 왜곡하고 음해하며, 악영향을 주는 연설이니 단속하라는 요지의 글이 국무회의록에 보고사항으로 실릴 정도였다.

다음 날 4월 21일 김구는 한국독립당 군산당부가 설치한 건국실천원양성소 단기강좌 개강식에 참석하고 기념사진을 찍었다. 그리고 한국독립당 옥구군당부 결성 대회에 참석하기 위해 옥구로 갔다. 한국독립당 옥구군당부 결성 대회는 현재 군산시 옥산면 옥산리에 위치한 옥산초등학교에서 열렸다. 여기서 김구는 참석한 간부와 당원 들을 격려한 뒤 특별 강연을 실시하였다. 평화통일을 위한 국민운동에 전 당원이 일치단결하여 매진할 것을 당부하는 내용이었다. 군산·옥구 방문을 마친 김구는 다음 목적지인 익산으로 향했다.

익산 김홍량 가옥
김제 원평과

김구와 김제·익산의 인연은 동학으로 맺어졌다. 김구에게 동학을 전한 사람은 바로 동학교도 오응선이었다. 그는 양반도 어른도 아닌 김구에게 공손하게 대하였고, 동학교도는 빈부귀천의 차별 대우가 없다고 말하였다. 또한 동학의 종지는 "말세의 사악한 인간들로 하여금 개과천선하여 새 백성이 되어 장래 참주인을 모시고 계룡산에 신국가를 건설하는 것"이라는 말을 하였다. 이에 공감한 김구는 오응선을 연원으로 동학에 입도하고, 이름 또한 '창암昌巖'에서 '창수昌洙'로 바꾸고 동학 포교에 힘썼다.

곧이어 동학농민혁명이 일어나자 김구는 19세의 나이로 팔봉

접주가 되어 황해도 일대에서 반봉건, 반외세 농민전쟁에 앞장 섰다. 그렇지만 일제의 간섭으로 동학농민혁명은 실패로 돌아 갔고, 김구는 안중근 의사의 부친인 안태훈의 후의로 청계동에 은신하게 되었다. 이때 남원 출신 김형진을 만나 의기투합하여 동지가 되었고, 1898년 인천감옥 탈옥 후 그를 찾아 금구 원평 으로 오면서 김제와 인연을 맺게 된 것이다.

동학의 중심지

지금 원평은 전라북도 김제시 금산면 소재지의 마을이다. 국도 1호선이 관통하는 원평은 정읍시와 경계지역으로 1894년 동학농민혁 명 당시에는 번화했던 교통과 물류의 중심지로 금구현에 속했다. 또한 동학농민군 지도자 전봉준이 자라난 곳이고, 또 그의 활동을 물심양면 으로 도왔던 금구대접주 김덕명의 근거지였다.

원평은 1893년 교조신원운동 당시부터 동학혁명의 중심지로 이름 높았다. 1893년 3월부터 충청도 보은과 경상도 밀양, 전라도 금구 원 평에서 대대적인 집회가 이루어져 교조신원과 척왜척양창의斥倭斥洋倡 義 운동이 벌어졌다. 특히 이곳 금구 원평취회院坪聚會는 호남 동학교도 의 집회로 다른 지역보다 급진적이었고 강경하였다. 여기서 전봉준은 고부봉기를 준비하여 동학농민전쟁을 일으켰던 것이다.

제1차 반봉건 농민전쟁 당시에는 대접주 김덕명의 도소가 자리한

혁명전쟁의 근거지로, 전주화약 직후 집강소 정치기에는 전라우도의 폐정개혁 실천의 중심부가 바로 원평이었다. 그리고 제2차 반외세 농민전쟁의 최후 격전지로 이름난 구미란전투도 이곳에서 벌어졌다.

원평에는 동학농민혁명 당시 농민군이 설치했던 원평집강소가 복원되어 있다. 국보와 보물로 가득한 금산사와는 10여 분 거리로, 집강소 주변엔 원평장터와 원평 공용버스터미널이 있어 교통이 편리하다. 원평집강소는 동학농민군이 봉기한 원평장터와 도로를 사이에 두고 있다. 동학농민혁명 시기 폐정 개혁 실시 기관으로 전라도 58개 고을 관아에 관민이 공동으로 설치한 것이 바로 집강소이다.

김구가 처음 김제를 찾은 것은 1898년 4월이었다. 당시는 김제시가 아니라 금구군이었고, 금구 원평에 김형진의 가족들이 살고 있었다. 남원과 전주를 헤매며 김형진을 찾다가 전주장터에서 우연히 그의 동생을 만나 그로부터 김형진이 비명횡사한 소식을 듣고, 금구 원평에 와 김형진 가족을 상봉하였다. 김형진의 모친과 처 그리고 아들 맹문 등을 만난 것이다.

광복 직후 김제와 익산을 찾다

김구가 김제를 다시 찾은 것은 환국 직후 삼남 지방 순회 당시였다. 삼남 지방 순회 중 김구는 광주를 거쳐 1946년 9월 28일 전라북도 김제에 도착하였다. 이날 오전 김제에 도착한 김구를 비롯한 엄항

김제 중앙초등학교의 최근 모습

김구의 연설이 있던 김제 중앙국민학교(1946.9.28.)

이리여자고등학교에서 열린 김구의 연설회에 운집한 군중(1946.9.28.)

이리여자고등학교의 최근 모습

섭, 안우생, 김광주, 선우진 등은 현재 김제시 요촌동에 있는 김제 중앙 국민학교로 갔다. 여기서 김구는 운동장을 가득 메운 수많은 군중들의 열렬한 환영을 받았다. 연설에 앞서 한복을 곱게 차려입은 여학생으로 부터 환영 꽃다발을 받은 뒤, 김구는 그동안 동포들의 고생을 위로하 고 자주독립 통일국가 건설의 의지를 거듭 밝혔다.

김제에서 연설을 마친 김구 일행은 곧이어 익산으로 이동하였다. 익산에서도 김구를 환영하는 인파는 인산인해를 이루었다. 이날 오후 현재 익산시 남중동에 있는 이리여자고등학교에서 개최된 강연회에 는 4000여 명의 군중들이 운집하였다. 열화 같은 환호 속에 등장한 김 구는 여기서도 민족통일을 촉구하는 연설로 군중들을 사로잡았다.

이승만도 김구보다 앞서 1946년 6월 5일 익산을 방문한 적이 있었 다. 이승만은 여기서 연설을 통해 남한만의 임시정부 혹은 위원회 조 직이 필요하다고 강조한 6월 3일의 '정읍 발언'을 되풀이하였다. 이를 염두에 두었는지 이날 김구의 연설은 그 어느 때보다 열띤 모습이었고 감동적이었다.

김구는 이날 거의 반세기 만에 김형진 가족을 다시 만났다. 당시 김 형진 일가는 이곳 익산으로 옮겨 와 살고 있었는데, 김구가 그 집을 방 문한 것이다. 김형진의 동생들과 아들과 며느리 등 가족들과 해후한 뒤 기념사진을 찍고, 하룻밤을 그 집에서 묵었다.

김구의 삼남 지방 순회 연설은 성과가 컸다. 그것은 삼남 방문 이후 인 1946년 10월 18일 한국독립당 위원장 김구를 필두로 부위원장 조 소앙, 그리고 삼팔선 이남의 67개 지당부위원장 67명이 참석한 가운데 열린 전국지당부 회의에서도 소개되었다.

　이때 언급된 「각 지방 정세보고」에 의하면 전북 익산지당부 위원장 양윤묵은, "당수(김구)께서 순시하신 후 민의 전폭적 지지를 받게 되었다"고 보고하였다. 전남도당부 부위원장 정두범도, "김구 주석께서 전남 지방을 순시하실 때마다 곳곳마다 시민 환영 대회를 열고 성심으로써 환영한 바도 커다란 사실이며 선생의 훈화에 일반은 크게 감동하였다"고 보고한 일에서도 잘 드러난다.

익산에서 김형진 가족들과 함께 찍은 사진 (1946.9.28.)

익산에서 동지 김홍량을 다시 만나다

김구가 익산을 다시 찾은 것은 정부 수립 이후인 1949년 4월 21일 전라북도 순회 방문 때였다. 이날 김구는 군산과 옥구를 거쳐 오후 늦게 익산에 도착하였다. 국토 분단 뒤 황해도 안악에서 남쪽으로 내려와 익산에 살고 있던 김홍량을 방문하기 위해서다. 당시 김홍량과 그 부인은 여관을 운영하고 있었는데, 김구는 신민회 동지이자 후원자로 인연이 깊은 그를 찾아간 것이다.

김홍량은 황해도 안악 출신의 대지주이다. 1905년 11월 일제가 강제로 을사늑약을 체결하여 국권을 침탈하자 국권회복을 위한 구국계몽운동에 투신하였다. 당숙인 김용제 등과 함께 안악읍에 양산학교楊山學校를 설립하여 교육 계몽운동을 전개한 것이다. 1909년에는 양산학교와 병행하여 양산중학교를 설립하고 교장으로 활동하면서 황해도 일대의 교육 구국운동을 지도하였다. 이때 김구도 김홍량과 그의 당숙인 김용제를 도와 양산학교 교사와 교장으로 봉직하며 유년 교육을 담당하였다.

특히 김홍량은 1907년 신민회가 결성되자 여기에 가입하여 황해도지회를 조직하고, 김구와 함께 주도적 역할을 수행하였다. 1910년 신민회가 만주에 무관학교 설립과 독립군 기지 개척 사업을 추진할 때도, 그는 김구와 함께 군자금 모금과 이주민 모집을 위해 적극적으로 활동하였다.

1910년 말 안중근 의사의 사촌 동생인 안명근이 군자금을 모집하다 탄로나 '안악사건'이 일어났고, 곧이어 일제는 데라우치 총독 암살 음모를 조작하여 서북 지역 신민회 인사들을 대거 구금하는 이른바 '105인사건'을 일으켰다. 김홍량은 두 사건으로 일제에 잡혀 김구와 함께 징역 15년 형을 언도받고 8년간 옥고를 치르기도 하였다.

김구는 김홍량과는 한말부터 교육 구국운동은 물론이고 신민회 활동을 같이한 동지이고, 상하이 임시정부 시절 김홍량의 집안에 어머니 곽낙원 여사와 아들 신을 맡겼던 후원자로 인연이 깊었다. 그래서 김구는 익산 김홍량의 집에서 하룻밤을 묵으며, 지난날을 추억하며 회포를 풀고 다음 날 전주로 향한 것이다.

전주향교
전주 김형진 가옥과

동지와 인연을 소중하게 여기는 김구의 마음은 발길이 머무는 자취마다 드러난다. 김구의 손길과 발길이 닿은 곳마다 인연이 생겨나고, 동지와의 따뜻한 정리情理가 쌓이고 있다. 김구는 삼남 지방을 두루 순방하였지만, 호남을 자주 찾았다. 호남에 동지가 많고 인연이 깊었던 탓이다. 전주도 마찬가지다. 김구는 평생 전주를 두 번 찾았다. 한 번은 한말에 김형진을 만나기 위해서였다. 다른 한 번은 해방 후 한국독립당 전북도당을 격려하기 위한 것이었다. 모두 동지들과의 인연으로 이루어진 발자취였다.

첫 번째 방문의 중요한 동기는 김형진을 찾기 위해서였다. 김형진은 김구가 황해도 팔봉접주로 활동하다가 동학농민혁명에 참가한 후 부모님과 함께 신천 청계동에 피신해 있을 때 만난 동지였다.

처음 김형진은 방물장수의 행색으로 청계동을 찾았지만, 가슴속에는 사회 개혁의 의지와 불타는 애국심을 품은 인물이었다. 둘은 서로 의기투합하였고, 두 차례에 걸쳐 함께 만주를 여행하였다. 더욱이 명성황후 시해 직후인 1895년 11월 2차 만주여행 중에는 삼도구에서 봉기한 김이언 의병부대에 함께 참여하기도 하였다. "국모가 왜구에게 피살된 것은 국민 전체의 치욕이니 가만히 앉아서 참고 있을 수 없다"는 국모보수國母報讐의 기치 아래 김이언 의병부대에 동참하여 압록강 건너 강계로 진공작전을 벌였던 동지이자 전우였다.

김형진을 찾아가다

김구는 1898년 3월 인천감옥 탈옥 후 피신해 몸을 의탁하기 위해 삼남 지방으로 동지들을 찾아 나섰다. 이때 무주를 거쳐 남원에 산다고 들었던 김형진을 만나러 갔다. 김구는 남원 이사동으로 가서 김형진을 찾았으나, 그는 동학교도로 활동하다가 가족들을 데리고 피신한 뒤였다. 이때 생각난 것이 전주 남문 안에 있는 한약국 주인 최군선이 김형진의 매형이라는 사실이었다. 그래서 처음 전주에 발을 들여놓은 것이다. 하지만 최군선을 찾아가 들은 얘기는, "김형진 말이오? 김형진은 분명 내 처남이지만, 내게 지기 어려운 무거운 짐만 지우고 자기는 벌써 황천객이 되었다"는 매우 충격적이고 실망스러운 말이었다.

김구는 섭섭하고 슬픈 마음으로 돌아섰다. '친형제처럼 정의가 깊고 간절한 사이'인 김형진이 죽었다는 소식은 김구를 더할 나위 없이 슬프게 하였다. 다른 한편으로는 만주 여행과 의병 활동 등으로 생사고락을 같이했던 김형진이 동학교도라는 사실을 자신에게까지 숨겼다는 것이 몹시 섭섭했다. 김구는 청계동 시절 만난 김형진에게 자신의 내력을 숨김없이 다 말하였다. 동학에 가입하여 팔봉접주로 활동한 얘기는 물론 시시콜콜한 것까지 털어놓았던 것이다. 그런데 김형진은 자신과 같은 동학교도이면서도 그 사실을 숨긴 이유가 궁금했고, 못내 섭섭한 마음을 가질 수밖에 없었던 듯하다.

하지만 이는 김구의 오해였다. 뒤에 밝혀진 사실이지만, 김형진이 동학 2대 교주 해월 최시형으로부터 금구접주로 임명된 것은 김구와 헤어지고 난 뒤인 1897년이었다. 그렇다면 김형진은 오히려 김구의 영향으로 동학교도가 되어 금구접주로 활동했을 가능성이 크기 때문이다.

동학농민군의 호남제일성 입성

김구도 잘 알고 있었겠지만, 전주성은 호남제일성으로 동학농민군이 점령하여 10여 일 동안 농성하던 곳이다. 1894년 1월 고부민란을 계기로 봉기한 동학농민군은 그해 봄 황토현전투와 황룡촌전투 등에서 전라도 관군과 홍계훈이 거느린 경군京軍을 잇달아 격파하고 전주성으로 입성하였다. 김구가 찾아갔던 남문, 즉 풍남문도 동학농민군이 입성한 통로이다. 당시의 상황을 오지영의 『동학사』는 이렇게 기록하고 있다.

> 이때는 [1894년] 4월 27일 전주 서문 밖 장날이라 무장, 영광 등지로부터 사잇길로 사방으로 흩어져 오던 동학군들은 장꾼들과 함께 휩싸여 미리 약속이 정하여 있던 이날에 수천 명의 사람들은 이미 다 시장 속에 들어왔다. 때가 오시午時쯤 되자 장터 건너편 용머리고개에서 일성一聲의 대포소리가 터져 나오며 수천 방의 총소리가 일시에 장판을 뒤엎었다. 별안간 난포亂砲 소리에 놀란 장꾼들은 정신을 잃어버리고 뒤죽박죽이 되어 헤어져 달아난다. 서문으로 남문으로 물밀듯이 들어가는 바람에 동학군들은 장꾼과 같이 섞여 문안으로 들어서며 일변一邊 고함을 지르며 일변 총질을 하였다. 서문에서 파수 보던 병정들은 어찌된 까닭을 몰라 엎어지며 자빠지며 도망질을 치고 말았다. 삽시간에 성안에도 모두 동학군의 소리요, 성 밖에도 또한 동학군 소리다. 이때 전대장(전봉준)은 완완緩緩히 대군을 거느리고 서문으로 들어와 좌座를 선화당宣化堂에 정하니 어시호於是乎 전주성은 이미 함락되었다.

김구가 자유로운 처지였다면, 일부러라도 동학농민군의 피 끓는 숨결이 남아 있는 고투의 현장인 전주성 여기저기를 돌아봤을 것이다. 하지만 당시는 인천감옥 탈옥 후 피신 중이라 그런 마음의 여유가 없었던 듯하다. 더욱이 황천객이 된 동지 김형진에 대한 이러저러한 생각으로 몹시 심란했을 것이다.

김구는 착잡하고 혼란한 마음을 바꾸어 볼 참으로 장터를 찾았다. 아마도 풍남문과 가까운 지금의 남부장터가 아닐까 한다. 마침 그날이 전주 장날이라 장터 여기저기를 구경하였다. 그러다가 포목점에서 하늘의 계시처럼 용모가 김형진을 닮은 사람을 만나게 된다. "김형진보다는 어려 보였지만, 말하는 것과 행동거지가 꼭 김형진 같았다. 다만 김형진에게서는 문사文士의 자태가 보였으나, 이 사람은 농사꾼처럼 보이는 것이 다를 뿐"이었다. 바로 김형진의 친동생이었다.

운명처럼 전주장터에서 우연히 김형진의 둘째 아우를 만난 것이다. 김구는 그로부터 "형님이 별세하실 때에도 창수(김구)를 생전에 다시 못 보고 죽은 것이 한이 된다"는 말을 전해 들었다. 김형진에게 가졌던 섭섭함이 눈 녹듯이 사라지는 순간이었다. 김구는 그를 따라 금구 원평으로 가서 김형진 가족을 만났다. 김형진의 노모와 부인 그리고 8~9세에 지나지 않은 어린 아들 맹문을 만나 새로운 인연을 맺게 된 것이다.

김구와 김형진 가족의 인연은 여기에 그치지 않고 광복 후로도 계속 이어졌다. 1946년 9월 호남지방을 두루 살피던 중에도 김구는 익산으로 옮겨 살던 김형진 가족을 방문해 그 집에서 하룻밤을 묵었다. 이듬해 봄에는 김형진 가족을 경교장으로 불러 환담하며 인연을 이어 갔다. 결코 동지를 잊지 않으며 사람과의 인연을 소중히 여기는 김구의

경교장을 방문한 김형진 가족들(1947.봄.)

성품이 이곳에도 고스란히 남아 있는 것이다.

해방 후 전주를 다시 찾다

김구가 전주를 다시 찾은 시기는 1949년 봄이다. 환국 후 김구
는 대한민국임시정부의 법통을 부여잡고 살았다. 임시정부의 주석으

로 환국했으니 당연한 일이었으나, 그것이 쉽지만은 않았다. 삼팔선을 경계로 미소가 남북한을 분할 점령하여 각기 군정을 실시하고, 임시정부를 인정하지 않았기 때문이다. 더욱이 모스크바삼상회의에서 신탁통치를 결정하여 추진하려는 굴욕적인 상황이 도래하였다. 임시정부나 김구의 입장에서 보면, 제2의 독립운동을 벌여야 하는 상황이 온 것이다.

민족의 '자주독립과 통일 민주국가' 수립을 위해 목숨을 바쳐 왔던 김구이고 보면 해방 정국은 또 다른 고뇌와 고난의 시기였다. 그래서 김구는 '신탁통치반대국민총동원위원회'를 설치하여 자주독립국가 건설을 위해 온갖 정성을 다하였다. 나아가 민족분단이 뻔히 보이는 단독정부 수립 노선에 반대하여 남북협상을 통한 통일 민주국가 건설에 온갖 노력을 경주하였다. 하지만 김구의 뜻과는 달리 남한에는 대한민국 정부가 수립되고, 곧이어 북한에는 조선민주주의인민공화국이 성립하였다. 남북 국토 분단에 기반하여 각기 다른 체제의 정부가 만들어져 민족 분단이 현실로 나타났다. 김구가 우려하고 걱정하던 일이 기어코 일어나고 말았다.

민족 분단국가는 김구로서는 결코 용납할 수 없는 나라였다. 낯설고 물선 수만 리 이국땅에서 풍찬노숙하며 독립운동을 전개하던 때에도 생각해 본 적 없는 최악의 상황이었다. 걱정되는 일은 또 있었다. 민족 분단은 필연코 민족 상쟁의 비극을 초래한다는 예감이 들었기 때문이다. 그런 일만은 결코 일어나선 안 되기에 김구의 마음이 바빴다. 좌절된 남북 통일정부 수립의 필요성을 동포들에게 다시금 전파하고, 자신을 따르는 한국독립당 동지들을 격려하기 위해 재차 지방 순회에 나섰다.

정부 수립 직후인 1948년 9월 말부터 10월 초에 걸쳐 진행된 지방 순례는 호남 지역이 중심이었다. 그 가운데서도 광주·전남 지역 한국독립당의 도와 시군 당부를 방문하여 당원들을 격려하고, 지도층 인사들과 동지들을 만나 지방 여론을 경청하며, 대중 연설을 통해 통일문제에 대한 자신의 구상을 밝히는 것이었다. 이듬해 봄 다시 시작된 지방 순회는 군산·옥구·익산·전주 등 전북 지역을 대상으로 이루어졌다. 김구가 전주를 다시 찾은 것은 이때였다.

김구는 1949년 4월 22일 전주에 도착하였다. 황해도 안악에서 월남하여 익산에 살고 있는 신민회 시절 동지인 김홍량이 운영하는 여관에서 하룻밤을 보내고 이른 아침에 전주에 당도하였다. 한국독립당 중앙 간부인 조완구, 김학규와 조경한 등과 함께 김구는 전주에서 전북 도당 위원장 이주상의 안내를 받았다.

김구는 전주 지역 기자단과의 회견에서, "냉전이란 서로 간에 전쟁을 피하면서 자국에 유리한 결과 획득을 목적으로 하기 때문에 제3차 세계대전은 일어나지 않을 것이며, 미군 철퇴는 3~4개월 내에 이루어질 것(『연합신문』 1949.4.27.)"이라는 의견을 피력하였다. 이어 현재 태평동에 있는 전주국민학교로 향했다. 김구는 학교 운동장을 가득 메운 수천 군중을 향해 사자후를 터트리며 '화평적 남북통일' 방안을 열렬히 설파하였다.

전주향교

연설을 마친 뒤 김구는 수행원들과 함께 교동에 있는 전주향교를 방문하였다. 전주향교는 고려 말 뛰어난 유학자의 위패를 봉안하여 배향하고 지방민의 교육과 교화를 위하여 창건되었다. 처음 위치는 현재의 경기전 근처였으나 태조 이성계의 어용을 봉안하기 위하여 그곳에 경기전이 준공되자 태종 10년(1410년) 전주성 서쪽 황화대 아래로 이전하였다. 그 뒤 선조 36년(1603년) 순찰사 장만이 좌사우묘지제左祠右廟之制에 어긋난다고 문제를 제기함에 따라 왕의 재가를 받아 현재의 위치로 옮겨 내려온 것이다.

전주향교 내 조선 후기의 건물로는 3칸의 대성전, 각 10칸의 동무와 서무, 신문, 외문, 만화루, 5칸의 명륜당, 각 6칸의 동재와 서재, 3칸의 계성사, 신문, 입덕문, 4칸의 사마재, 6칸의 양사재, 2칸의 책판고, 제기고, 수복실 등이 남아 있고, 전체 크기도 총 99칸에 달한다. 그래서 전주향교는 전라도 수도향교首都鄕校라 불리었다.

김구 일행은 전주향교 전교典校와 이주상의 안내로 대성전 등 전각 이곳저곳을 둘러보았다. 그리고 한국독립당 전북도당 간부 당원들과 함께 대성전 정문 앞에서 기념 촬영을 하였다. 김구를 중심으로 조완구와 김학규와 선우진 등 중앙당 인사들과 이주상 등 전북도당 당원들이 함께 찍은 사진이 남아 그날의 기억들을 되살려 주고 있다.

이어 김구는 전주체육관을 방문하여 체력 단련 중이던 역도부 청년 회원들을 격려하였다. 김구 일행은 여기서도 '조선역도연맹전주지

전주향교에서 전북도당 간부들과 함께 (1949.4.22.)

한국독립당 및 전라북도 경찰 간부들과 함께 (1949.4.22.)

전주 학인당의 최근 모습 ⓒ도진순

부' 간부 및 청년회원들과 함께 역기를 앞에 두고 기념사진을 찍었다.

전주 학인당에서 묵다

이날 김구는 전주향교 인근 교동에 자리한 학인당學忍堂에서
묵었다. 조선 말기 왕권이 쇠락하자 궁중 건축양식이 민간에 도입되
어 건축된 양반 가옥이 바로 학인당이다. 이 집을 지은 사람은 백낙중

白樂中이었다. 고종으로부터 승훈랑承訓郎 영릉참봉에 제수되기도 하였던 백낙중은 사후 효자 정려문이 내려진 이름난 효자였다. 솟을대문에 '백낙중지려白樂中之閭'라는 현판이 걸려 있는 학인당에 김구가 숙소를 정한 것도 우연은 아닐 것이다.

김구도 이름난 효자였다. 치하포사건으로 말미암아 김구가 인천감옥에서 옥살이할 때 모친은 물론 부친도 인천까지 따라와 온갖 고생을 하며 옥바라지를 하였다. 그것이 못내 죄송했는지 부모에 대한 효도를 게을리 하지 않았다. 심지어 부친 김순영의 목숨이 경각에 달렸을 때는 자신의 허벅지 살을 베어 물려 드리기도 하였고, 어려운 중국 망명 생활 중에도 모친을 모시기에 소홀함이 없었다. 아마도 이날 밤 김구는 돌아가신 부모님 생각으로 쉽게 잠을 이루지 못했을 것이다.

연보

일러두기

— 『백범일지』 원본의 날짜 착오를 수정해 연보를 작성했다.
— 원칙적으로 연월일을 밝히되 애매한 부분은 계절로 표시했다.
— 『백범일지』 원본엔 양력·음력 구별이 없지만, 1903년 기독교 입문 이후는 대체로 양력 날짜를 쓴 것을
   감안해 이 연보에서는 양력을 원칙으로 하되 필요한 경우 음력을 병기했다.
— 활동 주체가 김구인 경우 주어를 생략했다.

1876~1877년(1~2세)

8월 29일(음력 7월 11일) 황해도 해주 백운방 텃골에서 안동 김씨 김자점의 방계 후손인 아버지 김순영과 어머니 곽낙원의 외아들로 태어남. 아명은 창암昌巖. 같은 날, 할머니 돌아가심.

1878~1879년(3~4세)

천연두를 앓는데 어머니가 보통 부스럼 다스리듯 죽침으로 고름을 짜 얼굴에 마마 자국이 생김.

1880~1882년(5~7세)

5세 때 강령 삼가리로 이사.

아버지의 숟가락을 부러뜨려 엿을 사 먹는 등 개구쟁이로 소문남.

7세 때 텃골 고향으로 되돌아옴.

* 1881년 1월 일본에 신사유람단 파견. 1882년 6월 임오군란 발발.

1883~1886년(8~11세)

아버지가 도존위에 천거되었다 3년이 못 되어 면직.

1884년 4월 백부 김백영 별세.

1885년 어릴 때 젖을 준 핏개댁 사망.

* 1884년 10월 갑신정변.

1887년(12세)

양반이 아니라 갓을 쓰지 못하는 집안 어른의 사연을 듣고 양반이 되기 위해 공부를 결심. 아버지가 청수리 이 생원을 선생으로 모셔 글방을 차려 줌.

1888~1889년(13~14세)

1888년 4월 할아버지 김만묵 별세. 아버지 뇌졸중으로 전신불수가 되나 반신불수로 호전됨. 부모님은 문전걸식하며 고명한 의원을 찾아 유랑함.

소년 창암은 큰어머니와 장연 6촌 누이 등의 보살핌을 받음.

* 1889년 9월 방곡령 선포.

1890~1891년(15~16세)

1890년 4월 부모님과 다시 고향으로 돌아와 서당에 다니지만 선생의 수준에 실망. 아버지의 권유로 「토지문권」 등 실용문을 배우며 『통감』, 『사략』 등을 읽음. 친척 정문재 서당에서 면비 학생으로 『대학』과 한시 등을 공부.

* 1890년 1월 함경도 방곡령 철회. 1991년 제주도에서 민란.

1892년(17세)

임진년 경과에 응시하나 낙방. 매관매직의 타락상에 절망해 과거를 포기함.

석 달 동안 두문불출하며 『마의상서』로 관상을 공부. 관상 좋은 사람보다 마음 좋은 사람이 되기로 결심. 그 밖에 『손무자』, 『오기자』, 『육도』, 『삼략』 등 병서를 탐독.

집안 아이들을 모아 1년간 훈장 노릇을 함.

* 12월 동학교도 전라도 삼례역에 집결, 탄압 중지 등을 요구.

1893년(18세)

정초에 오응선을 찾아가 동학 입도. '창수昌洙'로 개명. 입도 몇 달 만에 연비 수천 명을 확보하여 '아기 접주'로 불림.

1894년(19세)

연비 명단 보고차 충북 보은으로 가서 해월 최시형에게 접주 첩지를 받음.

9월 황해도 15명의 접주 회의에서 거사를 결정.

11월 '팔봉 접주'로 선봉에 섰지만 해주성 공격에 실패, 구월산 패엽사로 후퇴해 군사 훈련. 안태훈, 백범에게 밀사를 보내 상부상조하기로 밀약.

12월 홍역을 앓는 와중에 같은 동학군 이동엽의 공격으로 대패, 몽금포로 피신해 3개월간 잠적.

* 1월 전봉준 고부민란 발생. 6월 청일전쟁(양력 1894년 8월-1895년 4월) 발발. 12월 순창에서 잡힌 전봉준 서울로 압송.

1895년(20세)

2월 부모와 함께 청계동 안태훈 진사에게 의탁.

유학자 고능선을 만나 가르침을 받게 됨.

5월 김형진을 만나 의기투합하여 함께 만주까지 감.

11월 김이언 의병장의 강계 고산진 전투에 참가하나 패배함.

귀향 후 고능선의 맏손녀와 약혼하지만 김치경의 방해로 파혼.

* 3월 전봉준 처형. 8월 을미사변, 명성황후 시해(양력 10월 8일). 11월 15일 단발령 공포. 11월 17일 연호를 건양建陽으로 개정, 양력 사용.

1896년(21세)

2월 다시 중국 여행길에 올랐지만 단발령 정지와 삼남 의병 소식을 듣고 안주에서 돌아옴.

3월 9일 치하포에서 명성황후의 원수를 갚기 위해 일본인 쓰치다 조스케를 죽임.

6월 해주옥에 갇힘.

8월 인천감옥으로 이송. 옥중에서 장티푸스에 걸려 괴로움으로 자살을 기도하나 살아남.

8~9월 세 차례의 심문을 받음.

10월 22일 법부에서 김창수의 교수형을 건의하지만 고종은 최종 판결을 보류하여 미결수로 수감 생활. 감옥에서 『세계역사』, 『세계지지』, 『태서신사』 등을 통해 서양 신학문과 근대 문물을 접함.

* 1월 전국 각지에서 을미의병 봉기. 2월 11일 고종 아관파천. 4월 제1회 근대 올림픽 개최(하계, 그리스 아테네). 4월 7일 독립신문 창간. 7월 서재필 등 독립협회 조직.

1897년(22세)

김주경이 김창수 구명 운동을 벌이지만 가산을 탕진하고 행방이 묘연해짐.

* 8월 연호를 광무光武로 고침. 10월 12일 대한제국 선포. 11월 명성황후 국장 거행.

1898년(23세)

3월(양력) 인천감옥 탈옥. 부모가 대신 투옥됨. 삼남 지방을 떠돌다 늦가을에 마곡사에서 법명 '원종圓宗'을 받고 승려가 됨.

* 1898년 6월-9월 청, 변법자강운동.

1899년(24세)

봄에 금강산으로 공부하러 간다며 마곡사를 떠나 4월 부모 상봉.

5월 평양 대보산 영천암 방장으로 장발의 걸시승 생활.

가을 무렵 환속 후 해주 고향으로 돌아옴. 숙부가 농사를 권유.

* 1899년 11월-1901년 9월 중국 의화단, 반외세운동.

1900년(25세)

2월 '김두래'로 이름을 바꾸어 강화로 김주경을 찾아가나 만나지 못함.

동생 진경 집에서 3개월간 김주경의 아들과 동네 아이들을 가르침.

김주경의 친구 유완무와 그의 동지들을 만나 유완무의 권유로 이름을 '구龜'로 바꾸고 자는 '연상蓮上', 호는 '연하蓮下'로 지음.

11월 부모님을 연산으로 모시려고 귀향.

스승 고능선을 찾아가 구국 방안에 대해 논쟁.

1901년(26세)

1월 28일(음력 1900년 12월 9일) 아버지 별세.

1902년(27세)

음력 1월 맞선을 본 여옥과 약혼.

우종서의 권유로 아버지 탈상 후 기독교를 믿기로 결심함.

* 1월 영일 동맹.

1903년(28세)

음력 1월 약혼녀 여옥 병사.

2월 장련 사직동으로 이사.

아버지 탈상 후 기독교에 입문.

장련읍 진사 오인형의 사랑에 학교 설립. 장련공립소학교 교원이 됨.

여름에 평양 예수교 주최 사범강습소에서 만난 최광옥의 권유로 안창호의 동생 안신호와 약혼하나 곧 파혼.

장련군 종상위원으로 임명됨.

1904년(29세)

12월 신천 사평동 교회 양성칙의 소개로 최준례를 만나 결혼.

최준례 서울 경신여학교에 입학.

* 2월 러일전쟁(~1905년 9월) 발발. 2월 23일 한일의정서 늑결.

1905년(30세)

11월 진남포 엡워스 청년회 총무 자격으로 서울 상동교회에서 열린 전국대회 참가.

전덕기, 이동녕, 이준, 최재학 등과 함께 을사늑약 파기 청원 상소를 올리고 공개 연설 등 구국 운동.

12월 고향으로 돌아와 신교육 사업에 힘씀.

* 7월 태프트·가쓰라 밀약. 9월 미국, 러일전쟁 종결 위한 포츠머스 강화조약. 11월 17일 을사늑약 체결, 통감부 설치. 11월 20일 장지연, 황성신문에 '시일야방성대곡' 발표. 11월 30일 민영환 자결. 12월 손병희, 동학을 천도교로 개칭.

1906년(31세)

장련에 광진학교를 세움.

장련에서 신천군 문화로 이사.

서명의숙 교사로 농촌 아이들 가르침.

11월 최광옥과 함께 안악면학회 조직.

첫딸 태어남.

* 12월 최익현 단식 자살.

1907년(32세)

안악으로 이사.

첫딸 사망.

양산학교 교사가 됨.

* 4월 신민회 조직. 이준·이상설, 고종의 밀서를 지니고 헤이그 만국평화회의 참석차 출국. 7월 대한제국 군대 해산 조칙 발표. 8월 고종 물러나고 순종 즉위.

1908년(33세)

9월 양산학교 소학부 담당. 중학부 개설함.

가을 황해도 교육자들과 해서교육총회를 조직하고 학무총감을 맡음.

* 9월 안창호 대성학교 설립. 12월 동양척식주식회사 설립.

1909년(34세)

황해도 각 군을 순회하며 환등회·강연회를 열어 계몽 운동.

10월 26일 안중근의 이토 히로부미 저격 사건으로 체포되었다가 한 달여 만에 불기소 처분.

12월 양산학교 소학부와 재령 보강학교 교장 겸임.

나석주·이재명 등과 만남.

* 12월 일진회장 이용구, 한일합방을 정부에 건의. 12월 22일 이재명, 이완용 습격.

1910년(35세)

둘째 딸 화경 태어남.

서울 양기탁 집에서 열린 신민회 비밀회의 참석해 이동녕 등과 서울에 도독부 설치, 만주 이민 및 무관학교 창설 등을 결의.

12월 안명근, 양산학교로 김구를 찾아옴.

* 3월 26일 안중근, 뤼순 감옥에서 사형. 4월 이시영. 이동녕. 양기탁 등 서간도에 독립운동 기지 마련. 경학사와 신흥강습소 설치. 8월 29일 한일합방조약 공포(경술국치). 조선총독부 설치. 12월 안명근, 군자금을 모으다 체포됨.

1911년(36세)

1월 일본 헌병에게 체포되어 김홍량 등과 함께 서울로 압송. 총감부 임시 유치장에서 혹독한 고문을 당하고 종로 구치감으로 이감. 어머니가 옥바라지.

7월 징역 15년 선고받음. 서대문감옥으로 이감되어 복역 중 의병과 활빈당 등을 만남.

* 1월 경무총감부, 안명근 검거를 계기로 황해도 일대 민족주의자 총검거(안악사건). 7월-9월 안악사건 과
  정에서 신민회사건 조작, 1심에서 105명 유죄 판결받음. 10월 중국 신해혁명 시작됨.

1912년(37세)
9월 메이지 일왕 사망으로 15년 형에서 7년으로 감형.

* 1월 쑨원, 중화민국 선포.

1913년(38세)

* 5월 13일 안창호, 미국 샌프란시스코에서 흥사단興士團 창립.

1914년(39세)
쇼켄 왕비가 죽어 7년 형에서 다시 5년으로 감형. 이름을 '구龜'에서 '구九'로 바꾸고,
호를 '연하蓮下'에서 '백범白凡'으로 바꿈.
인천감옥으로 이감, 17년 전 감방 동료였던 문종칠을 만남. 인천 축항 공사장에서 강
제 노역의 괴로움으로 투신자살을 결심하나 마음을 바꿈.

* 7월 제1차 세계대전(-1918년 11월) 발발. 8월 일본, 독일에 선전포고.

1915년(40세)
둘째 딸 화경 사망.

8월 가석방.

아내가 교원으로 있는 안신학교로 감.

1916년(41세)
문화 궁궁농장 추수 검사看檢.

셋째 딸 은경 태어남.

1917년(42세)
1월 숙부 김준영 별세.

2월 동산평 농장의 농감이 되어 소작인들을 계몽하고 학교를 세움.

셋째 딸 은경 사망.

* 8월 상하이에서 조선사회당 결성. 11월 레닌, 러시아혁명.

1918년(43세)
11월 맏아들 인 태어남.

* 1월 러시아 이르쿠츠크 공산당 한인 지부 결성. 1월 8일 미국 윌슨 대통령, 민족자결주의 14개 원칙 선
  언. 6월 이동휘 등 하바롭스크에서 한인사회당 결성. 11월 11일 독일·연합군 간의 휴전 협정 조인으로
  제1차 세계대전 종결.

1919년(44세)

3·1만세운동이 전국으로 확산, 안악에서도 만세운동이 일어남.

어머니 곽낙원 여사 회갑 잔치를 사양.

3월 29일 안악을 떠나 평양·신의주·안동을 거쳐 상하이로 망명.

9월 상하이 임시정부의 경무국장이 됨. 국무총리 이동휘의 공산주의 운동 회유 거부.

* 1월 고종 승하. 1월 파리강화회의(~1920년 1월). 2월 도쿄의 조선인 유학생들, 독립선언서 발표. 4월 10일 상하이에서 대한민국임시의정원 개원. 4월 11일 대한민국임시정부 수립. 5월 4일 중국 5·4운동. 9월 임시정부 제1차 개헌. 대통령제로 개정, 초대 내각 발표. 대통령 이승만, 국무총리 이동휘. 11월 9일 김원봉, 만주 지린성에서 의열단 조직.

1920년(45세)

8월 아내 최준례, 아들 인을 데리고 상하이로 옴.

* 1월 1일 국제연맹 창설.

1922년(47세)

어머니 곽낙원 여사가 상하이로 옴.

2월 임시의정원 보궐선거에서 의원으로 선출됨.

9월 임시정부 내무총장이 됨.

차남 신 출생.

10월 여운형, 이유필 등과 한국노병회 조직하고 초대 이사장이 됨.

1923년(48세)

6월 임시정부 내무총장 자격으로 국민대표회의 해산령을 내림.

12월 상하이 교민단 의경대 설치, 고문에 추대됨.

* 1월 상하이에서 국민대표회의 열림. 9월 관동대지진. 일본, 유언비어를 퍼뜨려 한국인 학살.

1924년(49세)

1월 1일 아내 최준례가 상하이 홍커우 폐병원에서 사망. 프랑스 조계 숭산로 공동묘지에 매장.

6월 내무총장으로 노동국 총판을 겸임.

* 1월 중국 제1차 국공합작 성립. 4월 이동녕 임정 국무총리 취임.

1925년(50세)

8월 29일 나석주가 옷을 저당 잡혀 생일상을 차려 줌.

11월 어머니, 차남 신을 데리고 고국으로 돌아감.

* 3월 임시정부, 이승만 면직. 박은식을 임시 대통령으로 선출. 임정, 대통령제를 국무령 중심의 내각책

임제로 개편. 4월 임시의정원, 구미위원부 폐지령 공포. 국내에서 조선공산당 창립. 7월 박은식, 임정 대통령 사임. 9월 이상룡, 임정 국무령 임명.

1926년(51세)

12월 국무령 홍진 등 임시정부 국무위원 총사직. 김구는 국무령으로 선출됨.

1927년(52세)

3월 김구 국무위원으로 선출됨.

8월 임시정부 내무장이 됨. 한국유일독립당 상하이 촉성회 집행위원이 됨.

9월 장남 인을 고국의 어머니에게 보냄.

* 10월 마오쩌둥, 중화소비에트공화국 수립.

1928년(53세)

3월 『백범일지』 상권 집필 시작.

임시정부 활동 침체기로 미주 등 해외 교포들에게 편지를 띄워 자금 지원을 요청.

1929년(54세)

5월 『백범일지』 상권 탈고.

8월 상하이교민단 단장으로 선출됨.

* 1월 미국 뉴욕 증시 붕괴로 세계 「대공황(-1941년) 시작. 11월 3일 광주학생운동 봉기.

1930년(55세)

1월 25일 이동녕 안창호, 조완구, 조소앙 등과 한국독립당 창당.

11월 임시정부 재무장이 됨.

1931년(56세)

10월 한인애국단 창단. 하와이·멕시코·쿠바 등지의 교민에게 편지로 금전적 지원을 받아 이봉창 의거 등 의열 투쟁을 계획함.

1932년(57세)

1월 8일 이봉창, 도쿄에서 일왕 히로히토에게 수류탄을 던졌으나 실패.

4월 29일 윤봉길, 상하이 홍커우 공원에서 일왕 생일 축하식장에 폭탄을 던져 시라카와 대장 등을 살상시킴. 김구 미국인 피치 박사 집으로 피신.

5월 상하이 각 신문과 통신에 상하이 폭탄 의거의 주모자가 김구 본인임을 발표하고 상하이를 탈출.

임시정부도 항저우로 옮김. 군무장이 됨. 6월 임시정부에서 물러나 자싱·하이옌 등지로 피신. 광둥 사람 장진구, 또는 장진으로 행세.

* 10월 10일 이봉창, 교수형으로 순국. 11월 한국독립당·조선혁명당·한국혁명당·의열단·한국광복동지회 등 한국대일전선통일동맹 조직. 12월 19일 윤봉길, 총살형으로 순국.

1933년(58세)

5월 박찬익 주선으로 장제스와 면담. 필담으로 낙양군관학교 한인특별반 설치에 합의.

11월 92명을 입교시켜 지청천, 이범석의 지도로 훈련을 시작함.

* 1월 중일 양군, 산해관에서 충돌. 3월 일본, 국제연맹 탈퇴. 3월 미국, 뉴딜 정책(-1936년). 6월 미국, 금본위제 폐지. 7월 독일 히틀러 정권, 1당 독재 체제로.

1934년(59세)

2월 중국 중앙육군군관학교 낙양분교에 한인특별반 설치.

4월 9년 만에 자싱에서 어머니와 아들 인, 신 재회.

일본의 항의로 한인특별반 중지. 자싱의 여자 뱃사공 주아이바오(주애보)를 난징으로 오게 해 동거.

12월 난징에서 중앙군관학교 한인 학생 중심으로 한국특무대독립군 조직.

1935년(60세)

5월 임시정부 해소의 부당성을 지적한 경고문을 발표. 조소앙 등 임시정부 국무위원 5명 사직.

10월 임시의정원 의원 16인, 자싱의 난후(남호) 배 위에서 비상회의. 이동녕, 김구, 조완구 등을 국무위원으로 보선.

11월 이동녕, 이시영, 조완구, 엄항섭, 안공근 등과 함께 임시정부 옹호를 위한 한국국민당 조직. 임시정부, 항저우에서 전장으로 옮김.

* 1월 모택동, 중국공산당 지도권 장악. 4월 민족혁명당 결성과 임정 무용론 대두로 임정 내분 격화. 7월 한국독립당·조선혁명당·의열단·신한민족당·대한독립당을 민족혁명당으로 통합. 9월 조소앙 등 민족혁명당 탈당.

1936년(61세)

8월 27일 환갑을 맞아 이순신의 「서해어룡동 맹산초목지誓海魚龍動 盟山草木知」를 휘호로 씀.

1937년(62세)

8월 한국국민당·한국독립당·조선혁명당·한인애국단 및 미주 5개 단체를 통합, 한국광복운동단체연합회(광복진선) 결성.

중일전쟁으로 후난성 창사로 피난하기로 하고 100여 명의 대가족이 목선으로 난징을 떠남.

안공근을 상하이에 파견, 안중근 의사 유족을 모셔 오게 했으나 성사되지 못함.

* 6월 4일 김일성, 보천보 습격. 12월 조선민족혁명당·조선민족해방동맹·조선혁명자연맹·조선민족전선연맹 결성. 12월 13일 일본군, 난징 점령 및 대학살.

1938년(63세)

5월 3당 합당 문제 논의를 위해 모인 남목청에서 이운환의 저격으로 중상, 한 달간 입원 치료.

7월 임시정부를 창사에서 광저우로 옮김.

10월 임시정부를 리우저우로 옮김.

* 4월 일본, 국가총동원법 공포. 5월 일본, 국가총동원법의 조선 적용 공포. 8월 뮌헨 협정 체결, 히틀러 요구대로 체코 영토 일부 할양. 8월 일본, 소련과 정전 협정. 10월 10일 김원봉 등 조선의용대 창설. 일본군, 한커우·우창·광둥 등 함락.

1939년(64세)

3월 임시정부 쓰촨성 치장으로 옮김.

4월 26일 어머니 곽낙원 여사 인후염으로 충칭에서 별세.

김원봉과 공동 명의로 민족운동단체연합을 호소하는 '동지·동포 제군에게 고함' 발표.

7월 김원봉계의 조선민족전선연맹과 협의해 전국연합진선협회 결성.

8월 치장에서 7당 통일회의 개최.

11월 조성환을 단장으로 한 군사 특파단, 시안으로 파견.

* 3월 중국국민당, 국민정신총동원령 발표. 7월 일본, 국민징용령 공포. 8월 독일과 소련, 불가침조약 조인. 9월 1일 독일의 폴란드 침공으로 제2차 세계대전(1945년 9월 2일) 발발.

1940년(65세)

2월 임시정부 대가족, 투차오로 이주.

5월 9일 충칭에서 한국독립당·조선혁명당·한국국민당의 통합으로 한국독립당 결성, 중앙집행위원장에 선출됨.

9월 임시정부, 치장에서 충칭으로 옮김.

9월 17일 충칭 가릉빈관에서 광복군 성립 전례식.

10월 임시정부 헌법 개정, 주석으로 선출됨.

11월 시안에 한국광복군 총사령부 설치, 간부 30여 명 파견.

* 2월 창씨개명 강제. 3월 이동녕 별세.

1941년(66세)

6월 임시정부 주석 자격으로 루스벨트 미국 대통령에게 임시정부 승인을 요청하는 공함을 보냄.

10월 임시정부 승인 문제로 중국 외교총장과 회담. 『백범일지』하권 집필 시작.

11월 임시정부, '대한민국건국강령' 제정 발표.

12월 10일 임시정부, 일본에 선전포고.

* 3월 일본, 국가보안법 공포. 4월 일본과 소련, 불가침조약 체결. 8월 루스벨트와 처칠, 대서양헌장 발표. 10월 일본, 도조東條 내각 출범. 12월 7일 일본군 진주만 공습, 태평양전쟁 개전.

1942년(67세)

3월 임시정부, '3·1절 선언'을 발표하며 중·미·영·소에 임시정부 승인 요구.

5월 조선의용대, 한국광복군 편입. 김원봉을 광복군 부사령관으로 임명.

7월 광복군, 중국 각지에서 연합군과 공동 작전 개시.

10월 김원봉 등 좌파, 임시의정원 참여.

* 1월 일본 수상, 대동아공영권 건설 지도방침 표명. 7월 김두봉 등, 연안에서 조선독립동맹 결성. 8월 동아일보·조선일보 폐간. 10월 한중문화협회 결성. 10월 1일 조선어학회 사건 발생.

1943년(68세)

3월 임시정부, 충칭에서 3·1운동 24주년 기념식.

7월 장제스 총통과 회담, 전후 한국독립 지원 요청.

8월 주석직 사임 발표.

9월 주석으로 복직.

* 9월 이탈리아, 연합군에 항복. 10월 일제, 조선에서 징병제 실시. 11월 미·영·중 3국 최고지도자, 카이로회담에서 한국의 독립 문제 논의(12월 1일 카이로선언 발표).

1944년(69세)

4월 임시정부 제5차 개헌. 권한이 강화된 주석으로 재선.

10월 장제스 면담, 임시정부 승인 요구.

* 8월 연합군, 파리 입성. 일제, 여자정신대령 공포. 9월 여운형, 건국동맹 결성.

1945년(70세)

1월 일본군에 끌려간 학병 50여 명이 탈출하여 임시정부로 찾아옴.

2월 임시정부, 일본·독일에 선전포고.

3월 장남 인, 폐병으로 28세에 세상을 떠남.

4월 광복군의 OSS 훈련 승인. 중국전구 사령관 웨드마이어 중장 방문.

7월 산시성 시안과 안후이성 푸양에 광복군 특별훈련단 설치.

한국독립당 중앙집행위원장으로 선출.

8월 시안에서 한인 학생들의 훈련을 참관하고, 미군 도노반 장군과 광복군 국내 진입 작전 합의.

8월 10일 산시성 주석 주사오저우로부터 일본 항복 소식을 들음.

8월 18일 충칭으로 귀환.

9월 '국내외 동포에게 고함'을 통해 임시정부의 당면 정책 14개 조항 발표.

11월 5일 충칭에서 상하이로 옴.

11월 23일 임시정부 제1진으로 개인 자격으로 미군 수송기편으로 김포공항을 통해 환국. 죽첨장서 미리 기다리고 있던 이승만과 환담.

11월 24일 오전 군정청으로 하지 사령관, 아널드 군정장관 방문.

11월 25일 돈암장으로 이승만을 방문하고 당면 문제에 관해 요담.

11월 26일 군정청으로 가서 하지 사령관 방문.

11월 27일 국민당, 한국민주당, 인민당, 인민공화국 대표 등 각 정당 수뇌와 요담.

11월 28일 우이동 손병희 묘소 참배. 망우리 안창호 묘소 참배. 정동교회 환영회 참석. 조선기독교 남부대회에 참석하여 '반석 위에 나라를 세우겠다'고 강연.

11월 29일 경교장을 방문한 '김구특무대' 대표들에 '김구특무대' 해산 요구.

12월 1일 '임시정부 환국 봉영회'에서 축하 인사.

12월 6일 오전 경교장서 임시정부 국무회의 개최. 군정청에서 이승만, 하지 사령관 등과 민족통일전선 결성에 대해 회담.

12월 7일 한민당 송진우 경교장을 방문하여 김구에게 인민공화국 해산을 역설.

12월 8일 명동성당 노기남 주교 집전 환영회 참석.

12월 12일 종로 봉익동 대각사 불교계 주최 임시정부 요인 환영회 참석.

12월 19일 서울운동장서 개최된 대한민국 임시정부 환영 대회 참석.

12월 23일 서울운동장서 거행된 순국선열 추념 대회 참석.

12월 27일 오후 8시 '삼천만 동포에게 고함'이란 제목의 방송(엄항섭 선전부장 대독)에서 완전 자주독립한 통일된 조국을 건설하자고 역설.

12월 28일 오후 4시 경교장서 긴급 국무회의를 개최하고 '4국 원수에게 보내는 반탁 결의문' 채택. 신탁통치반대국민총동원위원회 설치, 성명서와 결의문 채택.

* 7월 미·영·중 3국 최고지도자 포츠담선언. 8월 15일 일본 무조건 항복, 제2차 세계대전 종결. 10월

귀국한 이승만을 중심으로 독립촉성중앙협의회 발족.

1946년(71세)

1월 1일 신년사 발표. 반탁운동 방법에 대해 방송(엄항섭 선전부장 대독).

1월 23일 서대문형무소 방문.

2월 12일 경교장을 방문한 인민당 당수 여운형, 비서 황진남, 군정고문 굿펠로우 3인과 1시간 정도 요담.

2월 14일 군정청서 개최된 남조선대한국민대표민주의원(이하 민주의원) 개원식에 참석, 부의장에 취임.

2월 24일 민주의원 총리로 선출.

3월 1일 보신각서 거행된 27회 독립선언 기념식 참석하여 축사.

3월 5일 민주의원이 창덕궁 인정전 동행각으로 이전함에 따라 창덕궁으로 출근.

3월 23일 상동교회에서 거행된 전덕기 목사 32주기 추도식 참가.

3월 26일 안중근 의사 추도식 참가.

4월 6일 민주의원 총리 명의로 남조선 단독정부 수립을 반대한다는 견해 발표.

4월 9일 돈암장으로 이승만을 방문하고 정당에 불참할 것을 결의.

4월 10일 대한독립촉성국민회 지방지부 결성 대회에 참석하여 격려사.

4월 11일 창덕궁 인정전서 27주년 대한민국임시정부 입헌 기념식 거행.

4월 21일 명동성당 방문.

4월 22일 이시영과 함께 공주 마곡사 방문.

4월 23일 미소공위 5호성명에 대한 대책 협의를 위해 민주의원 회의 참석. 한국독립당 중앙부서 결정, 중앙집행위원장에 추대.

4월 25일 도쿄로부터 서울에 도착한 윤봉길 의사 유품을 경교장에 안치.

4월 26일 예산에서 거행되는 윤봉길 의거 기념식 참석차 서울 출발.

4월 27일 윤봉길 의사 생가 방문. 의거 14주년 기념식 추모사.

4월 29일 서울운동장서 열린 윤봉길 의사 의거 기념 대회 참석하여 기념 식사.

5월 10일 와병으로 성모병원에 입원 중 이승만의 문병을 받음.

6월 15일 부산공설운동장서 거행된 삼의사(이봉창, 윤봉길, 백정기) 추모회 참석.

6월 16일 삼의사 유골과 함께 서울에 도착. 태고사에 유골 안치.

6월 29일 이승만이 총재로 있는 민족통일총본부 부총재 취임.

7월 4일 오로지 조국의 독립과 동포의 행복을 위하여 분투할 것이라는 내용의 '동포에게 고함' 성명 발표.

7월 7일 효창공원에서 거행된 삼의사 국민장 참석.

7월 20일 경기도 남양주에 있는 고종의 능인 홍릉 참배.

7월 31일 ~ 8월 2일 제주도 방문.

8월 15일 미군정청 광장서 열린 해방 1주년 기념 시민경축대회에서 축사.

8월 17일 강원도 춘천에 있는 의암 유인석 묘소 참배.

9월 14~30일 부산·진해·마산·진주·통영·여수·순천·보성·목포·함평·나주·광주 ·김제·이리·군산·강경 방문.

10월 11일 군정청으로 하지 사령관을 방문하고 좌우합작에 관해 요담.

10월 14일 좌우합작의 목적은 민족통일에 있으므로 개인 자격으로 지지한다는 내용 의 담화 발표.

10월 18일 반도호텔로 하지 사령관을 방문하고 민생 문제와 테러 사건 등에 관해 요담.

11월 18일 좌우합작 지지 담화 발표.

11월 19일 인천감옥에 수감되어 있는 자신을 석방시키기 위해 전 재산을 바친 강화 김주경가※ 방문.

11월 20일 한국독립당 강화군 지부와 전등사 방문.

11월 30일 개성 선죽교 방문.

12월 3일 황해도 장단 고량포 경순왕릉 참배.

12월 8일 건국실천원양성소 기성회 준비위원회위원장 취임.

12월 22일 미국의 조선경제원조계획에 감사한다는 내용의 전문을 트루먼 대통령과 마셜 국무장관에게 발송.

12월 28일 경운동 천도교당에서 거행된 나석주 의사 20주기 추도식 참석.

12월 30일 돈암장에서 미소공위 미측 수석대표 브라운 소장 및 조완구 등과 함께 공 위 재개문제 등에 관해 토의.

※ 3월 제1차 미소공동위원회 개최. 5월 여운형, 김규식, 좌우합작운동 추진. 6월 이승만, 정읍에서 남한 단독정부 수립 발언. 12월 남조선과도입법의원 개원.

1947년(72세)

1월 24일 경교장서 결성된 반탁독립투쟁위원회에서 위원장으로 추대됨.

2월 4일 반탁운동 방안에 대해 담화.

2월 10일 독립진영의 재편성·좌우합작·신탁통치·삼팔선·국제관계 등 국내외 제반

문제에 대한 견해 발표.

2월 13일 탁치조항 삭제 등을 요구하는 메시지를 미국 신문기자단에 전달.

2월 28일 3·1독립선언 기념일을 맞아 삼천만 동포는 자주독립에 대한 신념을 갖고 이를 위해 분투할 것을 요청하는 소견 피력.

3월 1일 서울운동장서 거행된 기미독립선언기념 전국대회 참석.

3월 3일 국민의회 긴급대의원대회에서 대한임정 부주석으로 추대.

3월 20일 원효로 원효사에서 거행된 건국실천원양성소 개소식 참석.

4월 11일 창덕궁 인정전에서 열린 대한민국 임시입헌 기념식 참석.

5월 4일 건국실천원양성소 1기생 수료(명예소장 이승만, 소장 김구).

5월 12일 한국독립당 대회에 참석하여 발언.

5월 13일 한국독립당, 중앙집행위원회에서 위원장으로 다시 선출됨.

5월 18일 미소공위 미측 수석대표 브라운 소장의 요청에 의해 덕수궁서 공위 참가 문제에 대해 요담.

5월 19일 하지 사령관 초청으로 공위 참가 문제에 관해 요담.

5월 20일 민주의원 회의에 참석하여 공위 참가 문제 논의.

5월 23일 이승만과 연명으로 '탁치' 해석과 '민주'의 정의에 대해 공동 질의서 제출.

6월 5일 미소공위 참가 거부는 각 정당이 자의적으로 결행하라고 성명.

7월 2일 하지 사령관이 미소공위에 항의하는 수단으로 김구가 테러 행위를 모의하고 있다는 내용의 편지를 이승만에게 보낸 것에 대해 항의하는 서한 발송.

7월 10일 창덕궁 인정전서 개최된 한국민족대표자대회 참석.

7월 24일 1932년 4월 상하이에서 거행된 윤봉길 의사 폭탄투척사건으로 일경의 체포 위험에 처한 김구를 안전하게 피신시켜 준 피치 박사 내외와 경교장에서 요담.

8월 15일 서울운동장서 개최된 해방 2주년 기념식에 참석하여 만세 삼창 선창.

9월 11일 러치 미군정장관 서거를 애도하는 내용의 담화 발표.

9월 19일 한반도 문제를 유엔에 상정한다는 마셜 미 국무장관 발표에 대해 유엔에 상정할 경우 한인에게 의사 발표의 기회를 주는 것이 가장 적절한 민주적 해결 방법이라는 내용의 담화.

10월 5일 서울운동장서 개최된 마셜안 지지 국민대회 참석, 유엔총회에서 북한의 무장을 해제하도록 하고 자유로운 입장에서 남북을 통한 총선거를 실시하여 통일정부를 수립하자고 연설.

10월 15일 경교장을 방문한 미소공위 미측 수석대표 브라운 소장과 요담한 후 브라운 소장 관사로 옮겨 장시간 논의.

11월 24일 유엔 결정에 대한 소련의 거부로 인해 실시되는 남한만의 선거는 국토 양단의 비극을 초래할 것이라고 경고.

12월 3일 김구와 이승만의 지시에 의해 국민의회와 한국민족대표자대회 합작 결의.

12월 4일 국민의회와 한국민족대표자대회의 합작은 경하할 일이며 자신은 이승만 박사와 자주독립을 즉시 실현하자는 목적에 대해 완전한 합의를 보았다고 담화.

12월 8일 서울시청 앞, 장덕수 장례식 참석.

12월 14일 이화장으로 이승만을 방문하여 총선 참가 문제 등에 관해 장시간 논의.

12월 15일 『백범일지』(국사원) 조판 출간.

12월 18일 경교장을 방문한 유엔한국임시위원단(이하 유엔위원단)의 중국 대표 리우위완劉馭萬과 요담.

12월 22일 유엔위원단의 임무는 남북총선거를 실시하는 데 있으므로 어떠한 경우에도 단독정부는 반대할 것이라고 하는 내용의 성명 발표.

* 7월 여운형 피살. 9월 한국 문제, 유엔에 이관됨. 11월 유엔총회에서 유엔 감시하의 한반도 총선 가결. 12월 장덕수 피살, 암살의 배후로 의심받음. 중간파 연합전선인 민족자주연맹 결성.

1948년(73세)

1월 18일 장형의 단국대학 설립 격려.

1월 25일 소련의 유엔위원단 입북 거부는 '최대의 불행'이라는 견해 발표.

1월 26일 덕수궁서 유엔위원단과 회담. 미소 양군이 철퇴한 후 남북요인회담을 하여 선거 준비를 한 뒤 통일정부를 수립해야 할 것이라는 담화 발표.

1월 28일 유엔위원단에 보내는 신속한 총선거에 의해 통일된 완전 자주적 정부만의 수립을 요구한다는 내용의 의견서를 발표.

2월 6일 경교장을 방문한 김규식 박사와 요담한 후 9시 30분 함께 유엔임시위원단 메논 의장을 방문하여 회담. 경교장으로 메논 의장을 초청하여 장시간 환담.

2월 9일 김규식 박사와 연명으로 메논 의장에게 남북지도자회담 개최를 위해 협조해 줄 것을 요청하는 서신 발송.

2월 10일 통일정부를 수립하기 위해 미소 양군을 철퇴시키며 남북지도자회담을 소집할 것 등을 주장하는 내용의 성명 '삼천만 동포에게 읍고함' 발표.

2월 13일 김규식 박사의 방문을 받고 남북요인회담 추진책에 관해 협의.

2월 19일 하지 사령관의 초대로 김구, 김규식, 이승만 회담.

2월 22일 낙동강 철교 준공식 참석차 경북 왜관 방문.

2월 29일 기미독립선언기념일 맞아 북한의 '인민공화국' 수립이나 남한의 '중앙정부' 수립은 모두 조국을 영원히 양분시켜 도탄에 빠진 동포를 사지死地에 넣는 것이라는 담화 발표.

3월 1일 경교장에서 열린 독립선언 기념행사에서 남한 선거에 불응할 것이라고 천명.

3월 3일 시내 모처에서 김규식 박사 및 홍명희와 함께 남한 선거 문제 토의.

3월 5일 경교장을 방문한 유엔위원단 중국 대표 리우위완과 선거에 관해 요담.

3월 7일 독촉국민회가 선출한 유엔위원단과 협의할 민족대표단 33인에 참가 거부.

3월 8일 2월 25일 북한에 남북회담 제의했다고 기자회견서 발표.

미 군사 법정, 장덕수 살해 공판에 증인으로 출석하라는 소환장을 김구에게 발부.

이승만 박사, 장덕수 살해 사건에 항간에 도는 김구 관련설을 일축.

3월 11일 장덕수 피살 사건에 증인으로 나온 것은 미국 대통령 명의로 불렀기에 국제 예의를 존중하고자 함이며, 자신이 관련된 것처럼 발표한 것은 모략이라고 언명.

3월 12일 김구를 포함한 7인(김규식, 김창숙, 조소앙, 조성환, 조완구, 홍명희), 선거가 가능한 지역에서만의 총선거 불참한다고 공동성명.

장덕수 살해 사건 증인으로 군사 법정 출석하여 증인 심문을 받음.

군사 법정에서 증인 심문이 끝난 후 효창공원 삼의사 묘 참배.

3월 15일 두 번째 증인 심문차 군사 법정에 출두했으나 증언 거부하고 퇴정.

천도교 강당서 개최된 한국독립당 중앙집행위에서 전 민족이 단결하여 남북통일 자주정부 수립을 위해 싸우지 않으면 안 된다고 역설.

3월 16일 경교장을 방문한 민주독립당 대표 홍명희와 요담.

3월 20일 건국실천원양성소 창립 1주년 기념식서 치사.

3월 31일 남북정치회담과 관련하여 김일성, 김두봉과 주고받은 서신의 내용 발표.

4월 2일 경교장을 방문한 김규식, 홍명희, 이극로, 김붕준 4인과 심야까지 남북협상에 관해 논의.

4월 15일 얼마 남지 않은 여생을 조국의 통일독립에 바치려는 것이 북행을 결정한 목적이며, 북행에서 돌아오지 못하는 경우가 있더라도 통일 독립을 위해 끝까지 투쟁하였다고 동포에게 전해 주기를 바란다는 결의 표명.

4월 19일 학생들의 북행 만류에 분열이냐, 통일이냐, 자주냐, 예속이냐 하는 이러한 중대한 시기에 민족의 정의와 통일을 위해 남한 삼천만 동포가 억제하여도 자신의 결의대로 가겠다는 비장한 결의를 표명하고 서울을 떠남.

4월 24일 김구를 포함한 남한의 김규식, 조완구, 홍명희가 북한의 김일성, 김두봉 등과 만나 정치 문제에 관한 의견 교환.

4월 26일 김구, 김규식, 김일성, 김두봉 회담.

5월 4일 평양을 출발하여 귀경 도중 황해도 사리원서 점심 식사.

5월 5일 오후 8시 30분 서울 도착한 후 크게 소득이 있다고 말할 것은 없지만 앞으로 남북의 동포는 통일적으로 영구히 살아 나가야 된다는 기초를 든든히 닦아 놓았다고 소감을 밝힘.

5월 20일 한국독립당이 경교장서 주최한 남북협상대표단 환영 행사 참석.

6월 7일 김규식과 공동으로 남북통일국민운동 전개에 관한 성명 발표.

6월 24일 경교장서 가진 기자회견서 단독정부를 수립하려는 노력을 하지 말고 민족의 역량을 집결하여 미소 양군을 철퇴시키고 남북통일의 독립정부를 세우자고 강조.

6월 24 ~ 26일 김규식 박사와 함께 여주 신륵사, 석문사 방문.

6월 25일 단국대학 전문부 1회 졸업식 참석.

7월 1일 임시정부 법통의 계승은 통일정부를 수립하여야만 되며 반조각 정부로서는 계승할 근거가 없다는 견해 피력.

7월 4일 오후 2시 경교장서 김규식 박사 등과 남북통일운동기구 설치하는 문제 논의.

8월 2일 노량진 사육신 묘 참배.

8월 14일 정부 수립과 해방 3주년을 맞아 "비분과 실망이 있을 뿐"이라며, 새로운 결심과 용기를 가지고 강력한 통일독립운동을 추진해야겠다는 내용의 담화 발표.

8월 20일 모친(곽낙원), 부인(최준례), 아들(김인)의 유해를 정릉에 안장.

9월 22일 이동녕, 차리석 유해 봉환식(원서동 휘문중학교) 참석.

10월 1일 광주의 전남 삼균학사 개소식에서 남북통일의 평화적 해결 역설.

광주 관음사에서 기자들에게 남북을 통한 절대적인 자유 분위기 속에 전국 총선거를 실시하여 자주민주 통일정부를 수립해야 한다는 소신을 밝힘.

10월 7일 곽낙원 등 묘비 제막식.

10월 13일 동대문 훈련원 부민회장에서 거행된 조성환 사회장 참석.

10월 20일 민정 시찰과 혁명가 유가족 방문을 위해 대구 등 경상북도 지방 순회 방문.

11월 1일 미소의 협조로 양군이 철퇴하면 외세로 인해 분할되었던 한국의 강토와 민족은 단일민족의 자연 상태가 회복될 것이며, 조국의 통일을 위해 반대파와 타협할 만한 열의를 가진 애국적 민주주의 지도자들은 통일정부 수립의 역사적 과업을 실천할 수 있을 것이라는 내용의 담화 발표.

12월 9일 건국실천원양성소 5기 수업 기념.

12월 18일 둘째 아들 김신의 결혼식 참석.

12월 28일 유엔위원단의 내한을 맞아 남북 총선거를 기대한다고 언명.

* 1월 유엔한국임시위원단 입국. 2월 단독선거를 반대하는 2·7투쟁 전개. 4월 제주도에서 4·3사건 발생. 5월 5·10총선거. 제헌국회 개원. 7월 국호를 대한민국으로 결정. 초대 대통령 이승만, 부통령 이시영 피선. 8월 15일 대한민국정부수립 선포. 9월 9일 조선민주주의인민공화국 수립. 10월 여순사건 발발.

1949년(74세)

1월 1일 국제적으로 평등한 입장에서 친선을 촉진하면서 삼천만의 이익을 위해 정치·경제·교육의 균등을 기초로 한 자주독립의 조국을 갖기 원하며, 반쪽의 조국이 아니라 통일된 조국을 원한다는 내용의 연두 담화 발표.

1월 3일 경교장을 방문한 김규식 박사와 40분간 요담.

1월 18일 내수동으로 환갑을 맞은 장형 집 방문.

1월 22일 기자회견에서 유엔위원단에 협력할 의사 있음을 표명.

1월 27일 금호동서 개최된 백범학원 개소식 참석.

2월 1일 유엔위원단의 방한에 대해 "한국 문제에 대해서는 아무리 국제적 원조가 있을지라도 필경 한국 사람의 손으로 하지 아니하면 해결할 수 없다"고 말하고, 서울에서 통일을 위한 남북협상이 있기를 희망한다고 제언.

2월 5일 흉상 제작을 마치고 2층 서재에서 기념사진.

3월 8일 성균관 명륜당에서 개최된 유도교도원 1회 입학식 참석.

3월 14일 마포구 염리동서 개최된 창암학원 개원식 참석.

3월 20일 건국실천원양성소 개소 2주년 기념식 참석.

3월 24일 경교장을 방문한 유엔위원단 인도 대표에게 네루의 아시아 민족 단합 노력에 감사의 뜻 전달. 경교장을 방문한 유엔위원단 시리아 대표와 요담.

4월 15일 건국실천원양성소 7기 수업기념식 참석.

4월 19일 남북협상 1주년을 맞아 "1차 협상을 실패로 규정짓는 것은 조급한 생각"이라고 말하고 남북의 통일을 위한 협상은 반드시 있을 것이라고 언급. 군산 도착.

4월 20일 군산공설운동장서 시국대강연회 개최.

4월 21일 한국독립당 군산 지부가 주최한 건국실천원 단기 양성 강좌 개강식 참석. 전남 한국독립당 군산 당부·옥구군 당부결성대회 참석.

4월 22일 전주 도착 후 전주 기자들과의 회견에서 3차 대전은 발생하지 않을 것이며, 3~4개월 내에 미군은 철수할 것으로 믿는다고 언급.

4월 26일 총재 취임 기념으로 남산 석호정 방문.

4월 27일 경교장에서 가진 기자와의 회견에서 한미군사협정이 독립국가의 주권을 침해하지 않고 내전을 목적으로 하지 않는다는 두 가지 조건이 충족되면 반대하지 않겠다고 언명.

4월 29일 예산에서 거행된 윤봉길 의사 제막식 참석.

5월 15일 건국대학교 전신 조선정치학관 개관 3주년 기념식에 참석하여 축사.

5월 17일 김구가 희사한 돈(25만 원)으로 세운 창암공민학교 개교.

5월 31일 유엔위원단과의 협의에서 평화통일의 문호를 열기 위해 우선 남북 민간지도자회담 혹은 정당사회단체대표회의를 개최해서, 통일을 실현하기 위한 가능한 방법을 협의해 보는 것이 좋겠다고 제안.

6월 4일 성균관 대성전서 거행된 유도교도원 1회 졸업식 참석.

6월 5일 건국실천원양성소 8기 수업 기념식 참석.

6월 9일 행주산성 방문.

6월 14일 한국독립당 제7회 전국대표대회, 삼의사 묘 참배.

6월 19일 봉원사 방문.

6월 22일 성균관대학 전문부 2회 졸업식 참석 후, 경교장을 방문한 성균관 2회 졸업생과 기념사진 촬영.

6월 26일 경교장에서 안두희의 저격으로 절명.

* 1월 미국, 대한민국을 승인. 반민특위 발족. 5월 국회 프락치 사건. 6월 농지개혁법 공포.

1962년(서거 13주년)

3월 1일 대한민국건국공로훈장 중장重章에 추서.

1969년(서거 20주년)

8월 23일 남산에 백범 김구 동상을 세움.

1999년(서거 50주년)

4월 9일 어머니 곽낙원 여사와 장남 김인, 국립대전현충원 애국지사 제2묘역으로 이장.

4월 12일 부인 최준례 여사, 효창공원으로 이장.

6월 26일 서거 50주년 추도식.

2002년(서거 53주년)

10월 22일 서울 용산구 효창동에 백범김구기념관 준공.

2016년(서거 67주년)

공군 참모총장 역임한 차남 김신, 5월 21일 공군장으로 국립대전현충원 장군 제2묘
역에 안장.

참고 문헌

[국내 논저]

군산시사편찬위원회 편, 『군산시사』, 군산시사편찬위원회, 2000.

김구 서, 도진순 주해, 『백범일지』, 돌베개, 2005.

김구 저, 도진순 탈초 교감, 『정본 백범일지』, 돌베개, 2016.

김구 저, 도진순 편, 『백범어록』, 돌베개, 2007.

김상기, 『호서유림의 사상과 민족운동』, 지식산업사, 2016.

김석학·임종명, 『광복 30년(1)』, 전남일보사, 1975.

김제시사편찬위원회 편, 『김제시사』, 김제시사편찬위원회, 1995.

김화식·백삼규·김형, 『소의속편』(2), 의암학회, 2016.

무주문화원 번역, 『적성지』(천·지), 무주문화원. 1999·2000.

백범김구선생기념사업협회·백범학술원·백범김구기념관 편, 『백범김구사진자료집』, 2012.

서동일, 「파리장서운동의 기원과 재경유림」, 『한국독립운동사연구』30집, 독립기념관한국
    독립운동사연구소, 2008.

선우진 저, 최기영 편, 『백범 선생과 함께한 나날들』, 푸른역사, 2009.

송광사성보박물관,『송광사 역사 사진전 I』, 송광사성보박물관, 2009.

숭선전사편찬위원회,『숭선전사』, 대보사, 2016.

신주백,『만주지역 한인의 민족운동사(1920~45)』, 아세아문화사, 1999.

심산사상연구회 편,『김창숙 문존』, 성균관대학교출판부, 1994.

안종일·정진백 편,『정의로운 역사 멋스러운 문화』, 사회문화원, 2007.

안종철,『광주·전남 지방현대사 연구』, 한울아카데미, 1991.

오방기념사업회,『화광동진의 삶』, 오방기념사업회, 2000.

오지영,『동학사』, 대광문화사 1987.

옥구군지편찬위원회 편,『옥구군지』(상·하), 옥구군지편찬위원회, 1990.

윤선자,「해방 이후 백범 김구의 호남 방문」,『한국독립운동사연구』59, 독립기념관한국독
       립운동사연구소

이시발,「백초 유완무전」,『간설유고』(이시발 문집, 개인소장)

이희환,「백초 유완무의 생애와 민족운동」,『인천학연구』10, 2009.

전남일보광주전남현대사기획위원회,『광주전남현대사』, 실천문학사, 1991.

전라북도지편찬위원회 편,『전라북도지』, 전라북도지편찬위원회, 1989.

전점석,「철거되고 부서진 김구선생 친필 충무공 시비」,『진해문화』13, 진해문화원, 2015.

정병준,『우남 이승만 연구』, 역사비평사, 2005.

춘천문화원,『대한13도 의군 총재 의암 류인석』, 춘천문화원, 2016.

한산면지편찬위원회 편,『한산면지』, 한산면지편찬위원회, 2012.

황경규,『촉석루』, 사람과나무, 2011.

황정덕,『우리고장 문화유산』, 정문애드테크, 2007.

황정덕,『진해시사』, 진해향토문화연구소, 1987.

[기사]

『대한독립신문』, 1946년 10월 12일 자(「인정 많은 김구 선생」)

『동아일보』, 1946년 4월 23일 자

『동아일보』, 1946년 4월 30일 자(「예산에서도 성대히 거행(예산지국 특전)」)

『동아일보』, 1991년 2월 28일 자(「백범 '환국고유제문' 발견」)

『자유신문』, 1945년 12월 3일 자(「윤 의사 유아 종군 김구 선생과 마침내 대면」)

『자유신문』, 1946년 5월 3일 자(「김구 총리 입원」)

『조선일보』, 1945년 12월 3일 자(「김구 주석을 방문 윤봉길 의사의 영식 종군」)

『조선중앙일보』, 1949년 4월 20일 자 (「윤열사기념비 제막식」)

『주간조선』 제273호, 1974년 4월 14일 자(「여자의 일생, 뒤돌아보니, 남편대신 백범이 딸처럼」)

『파워뉴스』, 2011년 12월 27일 자(나태주, 「눈 덮인 들판을 걸어 갈 때―공주에 남겨진 백범 김구 선생의 자취」)

『호남신문』, 1948년 10월 2일 자, 1948년 10월 3일 자

면담자(신복룡)

원영환: 강원대학교 사학과 명예교수, 의암학회 이사장

색인

백범의 길 – 조국 산하를 걷다
강원·충청·전라·경상 편

1판 1쇄 인쇄 2018년 6월 14일
1판 1쇄 발행 2018년 6월 26일

기 획 (사)백범김구선생기념사업협회
집 필 김상기 신복룡 도진순 한규무 김용달
펴낸이 김영곤
펴낸곳 아르테

미디어사업본부 본부장 신우섭
책임편집 전민지 이지현 인문교양팀 장미희 디자인 어나더페이퍼
영업 권장규 오서영 마케팅 정지은 정지연 제휴 류승은 제작 이영민

출판등록 2000년 5월 6일 제406-2003-061호
주소 (10881) 경기도 파주시 회동길 201 (문발동)
대표전화 031-955-2100 팩스 031-955-2151 이메일 book21@book21.co.kr

ISBN 978-89-509-7575-3 04980
ISBN 978-89-509-7580-7 (세트)
아르테는 (주)북이십일의 브랜드입니다.

(주)북이십일 경계를 허무는 콘텐츠 리더

아르테 채널에서 도서 정보와 다양한 영상자료, 이벤트를 만나세요!
방학 없는 어른이를 위한 오디오클립 〈역사탐구생활〉
페이스북 facebook.com/21arte 블로그 arte.kro.kr
인스타그램 instagram.com/21_arte 홈페이지 arte.book21.com